Das Trishagion als Versöhnungsformel der Christenheit

DAS TRISHAGION
ALS VERSÖHNUNGSFORMEL
DER CHRISTENHEIT

Kontroverstheologie
im V. und VI. Jahrhundert

von Edith Klum-Böhmer

R. Oldenbourg Verlag München Wien 1979

Klum-Böhmer, Edith:
Das Trishagion als Versöhnungsformel der
Christenheit : Kontroverstheologie im V. u.
VI. Jh. / von Edith Klum-Böhmer. – München,
Wien : Oldenbourg, 1979.
  ISBN 3-486-48651-9

Druck: Hofmann-Druck KG Augsburg
Bindearbeiten: R. Oldenbourg Graphische Betriebe GmbH, München

ISBN 3-486-48651-9

Meinem langjährigen Lehrer,
Herrn Prof. Dr. A. Dempf,
gewidmet

Vorwort

Zu dem Thema dieses Buches wurde ich angeregt durch Herrn Prof. Dr. A. Dempf, bei dem ich an der hiesigen Universität Philosophie studierte, und der bei meiner Promotion der erste Korreferent war. Ich möchte ihm an dieser Stelle meinen Dank sagen für seine wertvollen Literaturhinweise und Vorschläge. Das Kapitel über Philoxenos arbeitete ich auf seinen Rat hin ein.

Zugleich danke ich Herrn Dr. H.E. Teitge, dem Direktor der Handschriften-Abteilung der Staatsbibliothek in Berlin (DDR) dafür, daß er mir liebenswürdigerweise den Film des Codex Berolinensis Ms. Phill. 1776 vorübergehend zur Verfügung stellte.

Auch gilt mein Dank der Handschriften-Abteilung der Biblioteca Capitolare in Verona, die so freundlich war, mir den Film des Codex Veronensis XXII (20) zur Einsicht zuzusenden.

Ebenso schulde ich aufrichtigen Dank dem Verlag für sein freundliches Entgegenkommen.

München, im Mai 1979

Edith Klum-Böhmer

Inhaltsverzeichnis

Einführung

Das Thema der vorliegenden Arbeit umfaßt den geschichtlichen Raum von der Mitte des fünften bis zur Mitte des sechsten Jahrhunderts. - Wir werden uns im Folgenden damit befassen, wie es sich erklärt, daß der einstmals als Häresie geltende - dem dreifachen Sanctus: „Heiliger Gott, Heiliger und Mächtiger, Heiliger und Unsterblicher" hinzugefügte - Anruf ‚der für uns gekreuzigt worden ist' von allen christlichen Kirchen aufgenommen wurde und bis heute gültig geblieben ist.

Dem christlichen Menschen ist von Kindheit an dieser Anruf so vertraut, daß er ihn hinnimmt, ohne je an seiner Wahrhaftigkeit zu zweifeln. Geht man jedoch zurück bis zu der Zeit der ersten Jahrhunderte nach Christi Geburt, so zeigt es sich, daß dieser Anruf ursprünglich nicht zu dem Dreifaltigkeits-Hymnus gehörte, sondern erst im fünften Jahrhundert der Versuch gemacht wurde, ihn dem Hymnus hinzuzufügen.

Diejenigen Patriarchen aber, die sich bemühten, den Anruf einzuführen, wurden verurteilt und in die Verbannung geschickt. Erst nachdem es im sechsten Jahrhundert gelang, ihn vom Verdacht der Häresie zu befreien, vermochten Konstantinopel und Rom ihn zu sanktionieren.

Diese Lehre lehnte es ab, dem WORT die menschlichen Eigentümlichkeiten, und dem Menschen Jesus die göttlichen Eigentümlichkeiten zuzusprechen[2]. Daraus zog Apollinarius den Schluß, daß die Anhänger dieser Lehre den Menschen Jesus anbeteten und verdächtigte sie, einen Menschen in die göttliche Doxologie einzuführen. Er warf ihnen vor, vier Personen anzubeten: Gott, den Sohn Gottes, einen Menschen und den Hl. Geist.

Es handelte sich bei dieser Lehre um den sich in seinen Anfängen befindenden - später als Häresie verurteilten - Dyophysitismus, dem Apollinarius eine Lehre über die Gemeinsamkeit der Eigentümlichkeiten in der einen Person Christi entgegenstellte[3]. Dieser Lehre zufolge wird dem ganzen Christus sowohl dasjenige zugesprochen, was seiner göttlichen Natur eigentümlich ist als auch dasjenige, was seiner menschlichen Natur eigentümlich ist.

Apollinarius weist darauf hin, daß der Heiligen Schrift nach das ganze Wesen Chri-

---

[1] G. Voisin, L'apollinarisme. Athanasius, Contra arianos, I. 41, 55.

[2] Migne, Bd. XXXIII u. Bd. LXVI. Die dogmatischen Fragmente Diodors von Tarsus und Theodors von Mopsuesta.

[3] Dieser Dyophysitismus sollte in die Geschichte unter dem Namen des Nestorius eingehen.

sti zu bejahen sei, der zugleich Gott und Mensch war[4]. Ebenso wie der übliche Sprachgebrauch den Menschen als eine Einheit von Körper und Seele verstehe, obwohl diese beiden Elemente voneinander verschieden seien, so sei Christus als eine Einheit von Körper und Gottheit zu verstehen[5]. Ein und derselbe Christus sei dem Geiste nach vom VATER gezeugt, dem Fleische nach aber von Maria geboren[6]; Christus sei zugleich vom Himmel und von der Erde: vom Himmel auf Grund seiner Gottheit, von der Erde auf Grund seiner irdischen Geburt.

Vielfach beruft er sich auf Aussagen Christi selbst sowie auf diejenigen der Apostel, die dem ganzen Wesen Christi sowohl die göttlichen als auch die menschlichen Eigentümlichkeiten zusprachen. - Obwohl sich Christi Bitte um Verklärung (Joh. XVII, 5) auf seinen Körper beziehe, während seine Worte: „Von der Herrlichkeit die ich hatte, bevor die Welt war", sich auf seine von Ewigkeit her verherrlichte Gottheit bezögen, - habe Christus selbst sie doch auf sein ganzes Wesen bezogen[7].

Um zu zeigen, daß die Eigentümlichkeiten des Körpers auch dem WORT zuzuschreiben seien, weist er auf die Heilige Schrift hin, die verkündige, daß der Gottessohn von der Frau sei, wie der Menschensohn vom Himmel[8]. Auch das Konzil von Nicea habe die Wahrheit, daß der Gottessohn vom Himmel herabgestiegen und Mensch geworden sei, bestätigt[9].

Auf Grund der von ihm angeführten Beweise glaubt Apollinarius sagen zu können, daß ein Gott gelitten habe; er fügt jedoch hinzu: nicht der Gottheit nach, sondern dem Fleische nach[10]. Das WORT sei im Hinblick auf seine Gottheit nicht-leidensfähig und unsterblich, während Es seinem Fleische nach gelitten habe[11].

Und doch traf Apollinarius der Vorwurf, Häretiker zu sein; denn die Art und Weise, in der er sich über das Fleisch des Erlösers äußerte, erweckte den Eindruck, als schreibe er dem Fleisch Konsubstantialität mit Gott und Präexistenz zu. So schrieb er über das Wort Christi: „Ich war, bevor Abraham war" in der folgenden Weise: „. . . man kann sagen, daß derjenige, der von Abraham stammt, vor Abraham war, weil er demjenigen vereint ist, welcher vor Abraham war . . . wie sollte derjenige, der Gott vereint ist in der Einheit der Person, nicht Gott mit IHM sein? - Wie sollte dasjenige, was dem UNGESCHAFFENEN vereint ist in der Einheit des Lebens, nicht UNGESCHAFFENES mit IHM sein[12]?"

---

[4]   Migne, P. G., P. 350. Die im Folgenden zitierten Seitenzahlen beziehen sich auf die unter Anmerkung 2 genannte Patrologia Graeca.
[5]   P. 344
[6]   P. 342
[7]   Pp. 344 - 345.
[8]   P. 381
[9]   P. 382
[10] P. 342
[11] P. 399
[12] Pp. 364 - 365

Und weiter sagt er: „Wenn das WORT auf Grund der Vereinigung Fleisch genannt wird, ist auch notwendig, dem Fleisch die Benennung des WORTES - auf Grund der Vereinigung - zu geben; ebenso ist es notwendig, ihm diejenige des UNGESCHAFFE-NEN zu geben, denn obwohl es (das Fleisch) ein Geschaffenes ist, ist es doch dem WORT vereint[13]."

Doch werde niemand, der menschlich denke, sagen, daß der Körper für sich allein Gott konsubstantiell sei: derjenige, der dies sage, sei gottlos[14]. Wir beteten das Fleisch Christi nicht darum an, weil es das Fleisch eines Menschen sei, sondern das-jenige eines Herrn und Gottes[15]. Nicht dem Fleisch spricht Apollinarius Präexistenz zu, sondern dem Menschen Christus insoweit der göttliche Geist in der Natur des Gott-Menschen der Herr war[16].

Der von ihm seinen Gegnern vorgeworfenen Vier-Personenlehre, deren Häresie er darin erblickte, eine vierte Person, nämlich die menschliche, in die Trinität einzu-führen, setzte er die Lehre von einem einzigen Willen in Christus - und zwar des gött-lichen Willens - entgegen[17]. Das aber hatte zur Folge, daß er dem Körper Christi nur die vegetativen und sensitiven Bewegungen des Lebens zugestand. - Entsprechend der Lehre von dem einen Willen stellte er auch die Lehre von einer einzigen Wirkwei-se in Christus auf, der nur göttlichen; wobei der Körper als Werkzeug zur Ausführung der göttlichen Willensakte diente[18]. „Wir lehren, daß Christus Einer ist, und weil er Einer ist, beten wir in ihm eine Natur, einen Willen, eine Wirkweise an[19]."

Wir schließen diese kurze Darlegung mit den Worten des Apollinarius: „Es ist not-wendig, Christus die menschlichen und die göttlichen Eigentümlichkeiten zuzu-schreiben: und wer nicht versteht, dasjenige wiederzuerkennen, was in den verschie-denen Dingen, die miteinander vereint sind, jedem von ihnen eigentümlich ist, ver-fällt in sich widersprechende Behauptungen[20]."

[13] Ebd.
[14] Pp. 352, 395
[15] P. 343
[16] Pp. 382 - 383
[17] Pp. 377, 400.
[18] P. 363
[19] P. 400.
[20] P. 347.

I.
Antiochien, ein Zeitbild
(460 – 540)

Da während der Regierung Kaisers Leo I. (– 474) der Einfluß der in der Armee und bei Hofe dienenden Gothen im Anwachsen begriffen war, suchte er die Unterstützung isaurischer Bergbewohner, die in den wilden Gebieten des Taurus-Gebirges lebten, unweit von Antiochien. Um sich diese Unterstützung zu sichern, verheiratete er seine älteste Tochter Ariadne, an einen isaurischen Häuptling, - an Tarasicodissa -, der den griechischen Namen Zenon annahm[1]. Einige Jahre später (469) wurde er zum Kommandanten der Truppen der orientalischen Diözese ernannt und behielt dieses Amt bis zum Jahre 471. Nach seiner Ernennung nahm er den Theologen Petrus Fullo mit sich nach Antiochien. Petrus hatte Zenons Aufmerksamkeit auf sich gelenkt, da er Ansichten vertrat, die den Neigungen Zenons entsprachen. Zu der Zeit, als sie in Antiochien eintrafen, war der dortige Bischof Martyrios ein streng orthodoxer Führer, der schon zur Zeit des Todes von Simon Stylites das Bischofsamt innegehabt hatte. Offenbar fand Petrus Fullo in Antiochien Zustände vor, die ihn veranlaßten, sich selbst - mit Zenons Hilfe - zum Bischof der Stadt zu machen und sie auf diese Weise unter anscheinend monophysitische Führung zu bringen. Sein Plan gelang ihm. Und so begann zum ersten Mal in Antiochien der Monophysitismus eine größere Rolle zu spielen. Die Monophysiten wurden nunmehr in Syrien und auch in Ägypten mächtig. Unter der Führung von Petrus Fullo hatten vor allem die nicht griechisch sprechenden Elemente der Bevölkerung für etliche Jahre die Aufsicht über die Kirche von Antiochien[2]. Petrus verstand es, die Menge für sich zu gewinnen, und zwar durch einen Ausruf, den er dem Dreifaltigkeits-Hymnus hinzufügte. Der Hymnus lautet: „Heiliger Gott, heiliger und mächtiger, heiliger und unsterblicher, sei uns gnädig". -Petrus Fullo nun schob zwischen den dritten Anruf und das wiederholte Schlußwort den Ausruf „Der für uns gekreuzigt wurde[3]".

Diese Neuerung konnte auf zweierlei Weise gedeutet werden, sowohl orthodox als auch häretisch: verstand man den Dreifaltigkeits-Hymnus als Anruf an unseren „Herrn", so entsprach dies der orthodoxen Deutung; verstand man ihn jedoch als

---

[1] E. W. Brooks, S. 209 - 238
[2] G. Downey, Ancient Antioch, S. 226 - 227
[3] Theophanes, S. 113, 27.

Anruf der Trinität, so handelte es sich um eine Häresie, und zwar um die patripassia-
nistische oder theopaschitische[4]. Dieses dem Dreifaltigkeits-Hymnus neu hinzugefügte Wort führte zu einer Spaltung der Bevölkerung Antiochiens und bedrohte die
Autorität des orthodoxen Bischofs[5]. Erschrocken über diese unerwartete Wendung
reiste Bischof Martyrius nach Konstantinopel, den Kaiser um Hilfe zu bitten. Während seines Aufenthaltes in der Kaiserstadt ließ sich Petrus Fullo zum Bischof weihen
und übte bereits das Bischofsamt aus, als Martyrius zurückkehrte. Dieser beschloß -
angesichts der von ihm vorgefundenen Umstände - auf sein Episkopat zu verzichten[6]. Dadurch erhielt Petrus Fullo zwar die Macht eines nominellen Bischofs, doch
wurde auf Befehl des Kaisers eine Synode nach Antiochien einberufen, die Petrus
seines Bischofsamtes enthob und stattdessen Julian wählte. Fullo hingegen ward
vom Kaiser ins Exil geschickt[7]. Nach dem Tod Leos I. (3. Feb. 474) übernahm Zenon
die Regentschaft, da sein Sohn Leo erst sechs Jahre alt war; und als auch Leo noch
während desselben Jahres starb, wurde Zenon Alleinherrscher. Doch sah er sich - als
Isaurier - am Hofe von Feinden umringt. Die Witwe Leos I., Auguste Verina, über-
zeugte ihn davon, daß seine Situation gefährlich sei und er darum Konstantinopel
verlassen müsse (Januar 475). Zenon glaubte ihr, da er wußte, wie unbeliebt er war
und zog sich nach Isaurien zurück.

Verinas Plan, sich selbst zur Kaiserin zu machen, mißglückte; denn ihr Bruder
Basiliscus ließ sich selbst zum Kaiser krönen. Er begünstigte die monophysitische
Partei und setzte in Alexandrien sowie in Antiochien monophysitische Patriarchen
ein. So kam es, daß Petrus Fullo aus seiner Haft befreit wurde und das Patriarchat von
Antiochien erhielt. Der religiöse Hader begann von Neuem, nachdem Petrus in diese
Stadt zurückgekehrt war, und der orthodoxe Patriarch starb vor Kummer. Petrus be-
stand weiterhin auf der Hinzufügung zum Dreifaltigkeits-Hymnus, was neue Auf-
stände verursachte[8].

Nachdem Zenon in seine isaurische Heimat geflohen war, sandte ihm Basiliscus
die isaurischen Brüder Illus und Trocundus mit Truppen nach, um ihn in seinem Ver-
steck aufzuspüren und dem Kaiser auszuliefern. Doch da Basiliscus seine Ver-
sprechungen nicht hielt, beschlossen sie, Zenon wieder zum Thron zu verhelfen.
Und vereint mit ihm machten sie sich nach Konstantinopel auf, wo es Zenon gelang,
seine Macht wieder herzustellen. Zugleich sandte er eine isaurische Abordnung nach
Antiochien, deren Aufgabe es war, Petrus Fullo in den Kaukasus zu verbannen[9]. Sein
Nachfolger wurde Johannes Codonatus, der ein Schützling Fullos war und dessen Politik vertrat. Aus diesem Grunde konnte ihn die Regierung nicht anerkennen, und

---

[4] Ebd.
[5] W. K. Pentrice, S. 81 - 86.
[6] Migne, P. G., LXXXVI, 176.
[7] Ebd.
[8] Theodorus Lector,Hist. eccl., I, 31 Sp. 181.
[9] Theophanes, S. 121, 22 - 26.

schon nach drei Monaten wurde Johannes seines Amtes entsetzt. Den antiochenischen Patriarchenstuhl erhielt nunmehr ein orthodoxer Priester, dessen Name Stephan war. Die Partisanen Fullos aber griffen ihn sogleich an und brachten eine Anklage vor Zenon. - Die daraufhin in Laodicea stattfindende Synode entlastete jedoch den orthodoxen Patriarchen und setzte ihn wieder ein. Doch zu Beginn des Jahres 479 wurde er von Monophysiten getötet, während er das Fest der vierzig Märtyrer von Sebaste zelebrierte. - Sie ermordeten ihn meuchlings mit scharfen Schilfrohren und warfen ihn in den Orontes. Dieser Mord führte zu neuen Unruhen in der Stadt[10]. Zu dieser Zeit kam es in Konstantinopel zu einem Bruch zwischen Zenon und Illus, der ihm, wie wir zeigten, zum Thron verholfen hatte. Illus bat den Kaiser, ihm einen Posten außerhalb von Konstantinopel zu geben, woraufhin er das Kommando über die Truppen der orientalischen Diözese erhielt[11]. So kam Illus um die Wende von 481 zu 482 in Begleitung von verschiedenen Beamten, die er selbst ausgewählt hatte, in sein Hauptquartier nach Antiochien. Auch verfügte er über eine persönliche militärische Eskorte[12]. Illus verbrachte die folgenden zwei Jahre in Antiochien und bereitete sorgfältige Pläne als Antwort auf den Mord des Patriarchen Stephan vor. Um die Gunst der Antiochener zu gewinnen, beschenkte er die Stadt mit einer Reihe von neuen Bauten. Es kam Illus darauf an, die Orthodoxen von zwei Gesichtspunkten aus zu stärken: einmal im Hinblick auf die Verteidigung des östlichen Teiles des Kaiserreichs und zum anderen im Hinblick auf eine stärkere Feindschaft gegen die monophysitische Partei. Deshalb bemühte er sich, die Machthaber der Orthodoxie mit denen des Heidentums zu vereinen; hinsichtlich des hellenistischen Erbes - sowohl bei den Heiden als auch bei den klassisch gebildeten Christen - mußte es leicht sein, Heiden und Orthodoxe gegen den Monophysitismus aufzurufen[13].

Dazumal geschah es, daß Patriarch Calandion die Reliquien von Eustachius dem Grossen, dem berühmten Bischof der Stadt zur Zeit des vierten Jahrhunderts, zurückbrachte. Eustachius hatte damals die Orthodoxen gegen die Arianer verteidigt; schließlich war er seines Amtes enthoben und nach Thracien verbannt worden, wo er starb und verbrannt wurde[14]. Als Calandion die Reliquien brachte, strömte die Bevölkerung Antiochiens herbei. Auch diejenigen kamen, die sich von der Kirche getrennt hatten und wurden ihr somit wieder vereint[15]. Auf diese Weise stellte Calandion nicht nur den Frieden zwischen den antiochenischen orthodoxen Christen her, sondern er schaffte zugleich eine stärkere Front gegen die Monophysiten.

Zwei Jahre, nachdem Illus sich in Antiochien befand, verhielten er und Zenon sich zueinander in einer Art und Weise, die zu einer kriegerischen Auseinandersetzung

---

[10]   Ebd., S. 128, 17 - 22.
[11]   Ebd., S 127, 13.
[12]   Ebd.
[13]   G. Downey, Ancient Antioch, S. 232.
[14]   Ebd.
[15]   Theodorus Lector, Hist. eccl., II, I, Sp. 184.

führen mußte[16]. Illus, - in dessen Absicht es nicht lag, selbst Kaiser zu werden, da er wußte, daß er als Isaurier unter denselben Feindseligkeiten zu leiden haben werde wie Zenon -, beschloß, dem Syrer Leontius zum Kaiserthron zu verhelfen. Deshalb befreite er die Witwe Leos I. aus der isaurischen Festung, in welcher Zenon sie gefangen hielt. Sie half Illus gegen Zenon und krönte den Syrer Leontius zum Kaiser, der völlig unter dem Einfluß von Illus stand[17]. Als Zenon von der Rebellion erfuhr, sandte er eine starke Truppenmacht, durch die die leontinischen Soldaten besiegt wurden. Leontius selbst, dessen Regierung nur annähernd siebzig Tage gedauert hatte, und Illus flohen nach Isaurien, wo sie einer vierjährigen Belagerung standhielten. - Durch Verrat wurden sie schließlich entdeckt und enthauptet (488). Patriarch Calandion, der sich zu den Rebellen bekannt hatte, wurde seines Amtes entsetzt und auf Befehl Zenons verbannt. Petrus Fullo hingegen erhielt aufs Neue das Patriarchat von Antiochien[18].

Zu dieser Zeit fanden wiederum Unruhen in Antiochien statt, in welche auch die Juden verwickelt waren. Zunächst kam es zu einem Zusammenstoß im Hippodrom zwischen den beiden Hauptparteien des Zirkus, den sogenannten „Grünen" und den „Blauen". Ihre eigentliche Aufgabe war, die rivalisierenden Wagenlenker zu unterstützen, doch hatten sie sich im Laufe der Zeit zu politischen und religiösen Parteien umgewandelt: durch die „Grünen" wurden die Monophysiten, d.h. die antiochenische Bevölkerung, repräsentiert, durch die „Blauen" dagegen die Orthodoxen, d.h. die konservative aristokratische Partei, die die Interessen der Zentralregierung unterstützte. Ebenso wie im Hippodrom anderer Städte wurden auch hier die Begrüßungs- und Beifallsrufe beider Parteien von ihren Führern bestimmt; so etwa die traditionellen Ausrufe, mit denen der Kaiser und hohe Persönlichkeiten bei zeremoniellen Gelegenheiten begrüßt wurden. - Bei dem hier zuerst berichteten Zusammenstoß begannen die „Grünen" (Monophysiten) im Hippodrom die „Blauen" (Orthodoxen) anzugreifen, indem sie nach ihnen mit Steinen warfen[19]. Thalassius, den Gouverneur von Syrien, traf ein Stein am Kopf. Er verließ sogleich das Hippodrom und befahl denjenigen zu sich, der den Stein geworfen hatte: einen Olympius, der offenbar ein bekannter Ringführer und Badbesucher war. Thalassius verhörte ihn und ließ ihn auspeitschen[20]. - Als dies jedoch die „Grünen" (Monophysiten) hörten, eilten sie zum Gouverneurspalast, setzten ihn in Flammen und befreiten den Gefangenen. Das Feuer breitete sich rings um das Forum von Valens aus, Thalassius floh nach Hippocephalus, das sich außerhalb der Stadt befand und legte sein Amt nieder. Ihm

---

[16]　E. W. Brooks, S. 223 - 228.
[17]　Ebd., S. 227 - 231.
[18]　Zacharias von Mitylene, Chronographia, V, 9.
[19]　J. Malalas, Exerpta, S. 166.
[20]　Ebd.

folgte Quadratus, unter dessen Regierung sich die Unruhen zunächst legten[21]. Sechs Monate später aber kam es zu einem neuen Zusammenstoß, in den dieses Mal auch diejenigen Juden mit hineingezogen waren, die zu der blauen Partei, d.h. zu den Orthodoxen, gehalten hatten. Die „Grünen" griffen die „Blauen" und ihre jüdischen Helfer an, von denen sie etliche töteten. Sie plünderten und verbrannten die Synagoge. - Der Graf des Orients wurde daraufhin seines Amtes enthoben, und damit war der Kampf beendet[22]. Auch der dritte Aufstand zeugt von Antisemitismus: es wird erzählt, daß ein Mönch, der sich selbst in den einen Turm des südlichen Stadtwalls eingemauert hatte, durch eine Öffnung die Vorübergehenden anrief und sie zu einem Angriff gegen die Juden anstiftete, deren schönste Synagoge in der Nähe stand. Die „Grünen· (Monophysiten) überfielen die Synagoge, gruben die hier beerdigten Juden aus und verbrannten sie auf einem Scheiterhaufen. Schließlich ließen sie die ganze Synagoge in Flammen aufgehen. - Als Zenon davon hörte, bedauerte er, daß nur tote Juden verbrannt worden seien[23].

Obwohl die spätere Geschichte Antiochiens eine Chronik von Leiden und Unruhen ist, gab es doch zu jener Zeit einen wirklichen wirtschaftlichen Wohlstand. Während der Regierung Zenons (474 - 491) und derjenigen des Anastasios (491 - 518) sowie zu Beginn der darauffolgenden Epoche Justins I. und Justinians dankte es seinen Reichtum dem Gebiet des Belus-Gebirges, östlich von Antiochien. Dieses Gebiet war zur eigentlichen Quelle des Olivenöls geworden, große Güter gehörten antiochenischen Bürgern, die dort den Sommer zu verbringen pflegten. Der Verkauf des Öls führte zu dem Reichtum, dessen Zeugen die schönen Bauten innerhalb des Belus-Gebirges waren[24].

Zenons Nachfolger war Kaiser Anastasios, ein tief religiöser Mensch, der auf Grund seiner langen Erfahrung als Beamter in der kaiserlichen Administration über Fähigkeiten verfügte, die bei den Kaisern jener Tage nicht immer zu finden waren. Die religiöse Situation in Syrien bedeutete für Anastasios ein schwieriges Problem, da die Feindschaft zwischen den Orthodoxen und den Monophysiten dauernd im Zunehmen begriffen war[25]. Die Verbindung von religiöser Leidenschaft und Patriotismus wurde zu einer unvermeidlichen Macht. Als Kaiser Anastasios seine Regierung antrat, stand das monophysitische Gefühl unter dem mächtigen Einfluß des Bischofs von Hierapolis, eines Schützlings von Petrus Fullo. - Der Kaiser selbst neigte dem Monophysitismus zu und nahm jede Gelegenheit wahr, diese Partei zu fördern[26].

---

[21] Ebd.
[22] Ebd.
[23] Ebd.
[24] G. Čalenko (Tschalenko), Villages antiques de la Syrie du Nord, Paris 1954–58.
[25] G. Manojlovič XI, S. 617 - 716.
[26] E. L. Woodward, S. 41.

Patriarch von Antiochien war zu jener Zeit Flavian II. - Als Orthodoxer unterlag er den dauernden Angriffen der Monophysiten[27]. Und um weitere Unruhen zu vermeiden, verließ er Antiochien. Auch er wurde späterhin abgesetzt und verbannt[28]. Ihm folgte Severus auf den Patriarchenstuhl, am 16. November 512 erhielt er die Weihe in der „Großen Kirche[29]". Antiochien kam während des severianischen Patriarchats nicht zur Ruhe, sodaß es ihm notwendig erschien, eine permanente Synode einzuberufen, die regelmäßig in Antiochien tagte, ähnlich der permanenten Synode des Patriarchen von Konstantinopel. Severus blieb Patriarch bis zum Tode des Kaisers Anastasios[30]. Mit der Thronbesteigung Justins (518 - 527) begann eine neue außergewöhnliche Dynastie, die eine wichtige Ära in der Geschichte des späten römischen Kaiserreichs darstellt und viele Änderungen - sowohl für Antiochien als auch für die anderen großen Städte des Kaiserreichs – brachte[31]. Diese Epoche ist besonders ausführlich von Malalas behandelt worden. Er geht hier mehr ins Einzelne als bei den vorhergehenden Regierungen, er selbst verbrachte einen Teil dieser Zeit in Antiochien und war Augenzeuge einiger Ereignisse, die er beschreibt[32]. In zwei Hauptabschnitten hören wir von der Plünderung durch die Perser im Jahre 540 und von dem darauf folgenden Wiederaufbau. - Der Raubüberfall der Perser fand bald nach dem großen Feuer vom Jahre 525 und nach den beiden Erdbeben von 526 und 528 statt. Mit diesem Überfall endete der Wohlstand Antiochiens und auch seine einstige Bedeutung[33].

Die Thronbesteigung des orthodoxen Kaisers Justin (518) hatte aufs Neue Unruhen zwischen den Zirkus-Parteien hervorgerufen, denn nun repräsentierte die blaue Partei der Orthodoxen die Interessen der Regierung, während dies bisher die grüne Partei der Monophysiten getan hatte. Und als auf Grund eines kaiserlichen Erlasses vom Jahre 520 die olympischen Spiele nicht fortgesetzt werden durften, kam es zum Kampf zwischen den „Blauen" (Orthodoxen) und den „Grünen" (Monophysiten)[34]. Das Verbot ging darauf zurück, daß zu dieser Zeit die Parteikämpfe mehr und mehr zunahmen; wenn auch das olympische Fest von ökonomischer Bedeutung war, da es viele Besucher nach Antiochien zog und außerdem ein großes Ansehen im Hinblick auf seine antike Herkunft hatte, erschien doch dem Kaiser die Aufrechterhaltung der öffentlichen Ordnung wichtiger[35].

---

[27] Zacharias von Mitylene, Chronographia, VII, 10.

[28] Ebd.

[29] M. - A. Kugener, Bd. II, Fasc. 3.

[30] E. Honigmann, S. 142 - 154.

[31] Ebd. – J. D. Mansi, Sacrorum Conciliorum nova et amplissima collectio, VIII, 1042 - 1050, Florenz 1762.

[32] Ebd.

[33] J. Malalas, Experta, S. 411.

[34] Ebd., S. 417.

[35] Ebd., S. 416.

Das Unglück, mit welchem der Untergang Antiochiens begann, war ein großes Feuer, das im Oktober 525 ausbrach[36]. Dem Hauptbrand folgte eine Reihe kleinerer Brände, die etwa sechs Monate anhielten. Auf Vorstellungen des Patriarchen Euphrasius hin bewilligte der Kaiser eine große Summe zum Wiederaufbau der abgebrannten Stadt. Das Erdbeben vom Jahre 526 verursachte einen noch größeren Schaden, es begann vorm Himmelfahrtstage, als die Stadt überfüllt von Besuchern war, die zu dem Fest nach Antiochien gekommen waren[37]. Die Erdstöße begannen zu einem Zeitpunkt, da sich fast alle beim Abendessen in den Häusern befanden, wodurch besonders viele Menschen ums Leben kamen. Die Quellen berichten von zweihundert und fünfzig tausend Toten, deren bedeutendstes Opfer der Patriarch Euphrasius war[38]. Dieses Unglück zerstörte fast die ganze Stadt, da die Erdstöße Feuer hervorriefen und die Menschen unter den Ruinen verbrannten[39]. Einige Überlebende, die aus der Stadt geflohen waren, wurden von Landbewohnern ausgeraubt oder getötet, wenn sie sich weigerten, ihre letzten Habseligkeiten herzugeben. Diebe kamen in die Stadt und plünderten die Ruinen, wo sich noch silberne Platten und Münzen fanden[40].

Drei Tage nach dem Unglück erschien die Vision des heiligen Kreuzes über dem nördlichen Teil der Stadt, wo es für eine Stunde sichtbar blieb. Die Menschen weinten und beteten; den Berg aber, über dem ihnen die Kreuzes-Vision erschienen war, nannten sie fortan „Berg des Kreuzes". Kaiser Justin war tief bekümmert, als er von dem Unglück hörte, das die Stadt betroffen hatte und bewilligte eine große Summe Goldes für Suchausgrabungen nach den noch Überlebenden. Beamte wurden beauftragt, sich um die Bevölkerung zu kümmern und sich des Wiederaufbaus der Stadt anzunehmen. Brücken, Wasseranlagen und Bäder wurden als erstes wieder hergestellt[41].

Der Tod des Patriarchen Euphrasius machte die Wahl eines neuen Patriarchen notwendig. Justin und sein Neffe Justinian bemühten sich, einen Charakter zu finden, der den Monophysiten entgegentreten würde. Die Wahl fiel auf einen Laien, auf Ephraemius, der Graf des Orients gewesen war. - Damals wurden mitunter Laien für hohe Kirchenämter gewählt, zu denen besonders administrative oder auch politische Fähigkeiten notwendig waren[42].- Nachdem Ephraemius die Weihe erhalten hatte, begann er sogleich einen Feldzug gegen die Monophysiten, die über genügend Macht verfügten, um das Patriarchat anzugreifen[43]. Als ein besonders strenges Edikt

---

[36]　Theophanes, S. 172.
[37]　J. Malalas, Exerpta, S. 419.
[38]　Ebd.
[39]　Ebd.
[40]　Ebd.
[41]　A. A. Vasiliev, S. 345 -350.
[42]　J. Malalas, Exerpta, S. 468.
[43]　Ebd.

des Kaisers die Verbannung der Häretiker forderte, warfen sie sogar mit Steinen[44]. Die Unruhe, die durch das große Erdbeben von 526 verursacht worden war, hielt an. Dem ersten Erdbeben folgte während einer Zeitspanne von anderthalb Jahren eine Reihe kleinerer Erdstöße. Diese Erschütterungen erreichten ihren Höhepunkt am 29. November 528[45]. Alle Wälle und Bauten stürzten zusammen, viertausend achthundert und siebzig Menschen wurden getötet. Einige Überlebende flohen in andere Städte oder lebten in Hütten auf den Bergen ringsum. Hinzu kam, daß der folgende Winter außerordentlich streng war; die in Antiochien zurückgebliebene Bevölkerung flehte zu Gott um Verzeihung und warf sich weinend in den Schnee. Der Patriarch erstattete Kaiser Justinian Bericht über das Unglück. Der Kaiser sandte Gaben zum Wiederaufbau der Stadt, deren Name nunmehr aus Dankbarkeit abgeändert wurde in „Theopolis[46]". Auch hatte die Stadt während dieser Jahre unter den Feindseligkeiten der Perser zu leiden. Der Kampf brach im Jahre 528 aus, und im März 529 unternahmen die Araber einen Schnell-Angriff, töteten viele und zogen sich mit ihren Gefangenen zurück, noch ehe sie von den römischen Truppen erreicht werden konnten[47]. Kaiser Justinian schickte daraufhin den Gesandten Hermogenes, um Verhandlungen mit den Persern einzugehen[48]. Jedoch umsonst. - Die Kämpfe dauerten weiterhin an[49]; und im Juni 540 kam es zu einem Raubüberfall und zur Plünderung Antiochiens durch die Perser.

Im Frühjahr nämlich war ein großer Teil der in Syrien stationierten römischen Truppen nach Italien geschickt worden. Die Perser aber hatten in diesem Jahr eine Armee, die groß genug war, um die zurückgebliebenen römischen Verteidigungskräfte zu überwältigen. Sie beabsichtigten keine Besetzung Syriens oder irgendeines anderen Teiles des römischen Reiches, sondern das Land zu verheeren und eine möglichst große Beute zu erlangen. Als Justinian von den persischen Erfolgen hörte, sandte er seinen Verwandten Germanus nach Antiochien, um zu untersuchen, ob die Befestigungen dem letzten Erdbeben standgehalten hätten. - Sie hatten es nicht. - Aber die Ingenieure erklärten, daß es nicht möglich sei, sie vor der Ankunft der Perser wieder herzustellen. - Die Feinde rückten immer näher, die vom Kaiser versprochenen römischen Truppen aber blieben aus. - Um die Stadt zu retten, beschlossen die Einwohner Antiochiens den Persern ein Lösegeld anzubieten. Sie wählten Megas, den Bischof von Boroea, zum Vermittler. - Nicht weit von Hierapolis traf Megas auf Chosroes, den persischen König. Chosroes war bereit, eine große Summe als Lösegeld anzunehmen. Doch als Megas nach Antiochien zurückkam, fand er eine ver-

---

[44] Ebd.
[45] Theophanes, S. 177, 22.
[46] Ebd.
[47] Zacharias von Mitylene, Chronographia, VIII, 5.
[48] Theophanes, S. 178, 15 - 22.
[49] J. Malalas, Exerpta, S. 460, 10.

änderte Situation vor: der Kaiser hatte Gesandte geschickt, die in seinem Namen mit Chosroes wegen eines Gesamtlösegeldes verhandeln sollten; denn der Kaiser hatte erkannt, daß Syrien dem persischen Ansturm nicht standhalten können würde. Auch glaubte er, daß Verhandlungen der einzelnen Städte kostspieliger sein würden als eine Gesamtverhandlung. Da andererseits nunmehr Richtung und Zweck des persischen Marsches bekannt waren, befahl der Kaiser sechstausend Truppen zu sammeln, die bis dahin an der südlichen Grenze stationiert gewesen waren zur Verstärkung der Besatzung Antiochiens. Und somit bestand die Hoffnung, daß diese für damalige Zeiten große Truppenmacht von den Befestigungen Antiochiens aus wirklichen Widerstand leisten werde. Patriarch Ephraemius glaubte jedoch, daß es besser sei, dem Schrecken einer Belagerung durch ein Lösegeld zu entgehen. Daraufhin aber wurde er von einem der kaiserlichen Gesandten des Verrates beschuldigt, da der Gesandte argwöhnte, die Stadt wolle zu den Persern übertreten. - Auch war es bei anderer Gelegenheit vorgekommen, daß die Perser trotz dem empfangenen Lösegeld die Einwohner getötet oder versklavt hatten. Auf Grund des Verdachts, der ihm entgegengebracht wurde, hielt der Patriarch es für ratsam, Antiochien zu verlassen. - Als Megas, der Bischof von Boroea, hörte, daß das von ihm dem König Chosroes angebotene Lösegeld nicht bezahlt werden solle, eilte er zu den Persern, um dem König die veränderte Situation mitzuteilen. Chosroes bestand auf dem ihm angebotenen Lösegeld der Stadt.

Einige Zeit darnach kamen die Perser und ließen sich kampierend am Orontes nieder. Auf den Mauern Antiochiens erschien der griechische Renegat Paul, um von dort aus die persische Forderung des Lösegeldes zu verkünden. Die Erscheinung Pauls muß für die Bevölkerung besonders unangenehm gewesen sein, da er in Antiochien aufgewachsen und zur Schule gegangen war. - Seine Forderung blieb unerfüllt. - Hingegen begaben sich die Gesandten Justinians zum persischen König und verhandelten mit ihm. Doch vergeblich. - Am anderen Tage schmähte die antiochenische Bevölkerung den persischen König von ihren Befestigungen aus, und als der verachtete Renegat Paul nochmals das Lösegeld forderte, wurde er mit Pfeilen beschossen. - Daraufhin entschied Chosroes, die Stadt zu stürmen. Der Angriff begann vom Fluß und von der Spitze des Berges aus. Da der Berg, über dessen nördlichem Teil nach dem Erdbeben vom Jahre 526 das heilige Kreuz erschienen war, von außen her sacht anstieg, konnten die Truppen und die Belagerungsmaschinen verhältnismäßig leicht hinaufgebracht und die Stadt von einer Kommandostellung aus beschossen werden. Schon in der Mitte des dritten Jahrhunderts hatten die Perser von der Spitze dieses Berges aus ihren erfolgreichen Einzug in die Stadt gehalten, was Chosroes zweifellos wußte. Römer und Perser kämpften zu Beginn in gleicher Stärke. Auch die jungen Männer der Zirkus - Parteien hielten sich tapfer neben den Soldaten. Die Römer verstärkten das Feuer, nachdem sie aus Baumstämmen zusammengefügte Plattformen zwischen die Türme des Walls aufgehängt und mit Truppen beladen hatten. Auf diese Weise konnte eine weitere Linie von Männern zum Kampf eingesetzt werden. - Ein plötzlicher Unfall aber beendete den Widerstand der Römer: die Seile, die die Plattformen hielten, zerrissen. Und die Plattformen stürzten mit ihrer gesamten Besatzung in die Tiefe. Diejenigen Soldaten der römischen Truppen, die den Unfall nicht gesehen hatten, glaubten, der Mauerwall sei geborsten und flohen in die Stadt. Ungeachtet dessen, daß die Römer den Kampf aufgaben, verteidigten sich die jungen Männer der Zirkus - Parteien auch weiterhin, während die Soldaten jedes Pferd ergriffen, das ihnen in den Weg lief und zu den Stadttoren hinausritten. - Da die Bürger die Soldaten fliehen sahen, begannen auch sie zu den Toren zu laufen, um sich zu retten. Inzwischen hatten die Perser von den Wällen Besitz ergriffen. Nachdem die Truppen und ein Teil der Bewohner Antiochien verlassen hatten, stiegen die Perser in die Stadt hinunter, wo sie jedoch noch dem heftigen Widerstand der weiter kämpfenden Zirkus - Parteien ausgesetzt waren. Zuerst hatten die jungen Antiochener die Oberhand, dann aber brachen verstärkte Truppen der Perser durch und töteten fast jeden. Auf den Befehl des persischen Königs hin wurden die Überlebenden gefangen genommen. Die Plünderung begann. Chosroes selbst ging in Begleitung der kaiserlichen Gesandten zur Großen Kirche, wo er den kostbaren Schatz aller goldenen und silbernen Gegenstände vorfand. - Nach der Plünderung verbrannten die Perser die Stadt bis auf die Große Kirche. Diese Schonung war dem Hinweis der kaiserlichen Gesandten zu danken. Die Befestigung ließen die Perser unberührt[50]. Die Folgen dieses Unglücks waren verschiedener Art: abgesehen davon, daß es das Ansehen des Kaiserreichs beeinträchtigte, vergrößerte es auch die Feindschaft der Syrer gegen die Zentralregierung. - Die Zeit der Größe Antiochiens war endgültig vorüber. Im siebenten Jahrhundert kam es unter arabische Herrschaft und hörte auf, eine Weltstadt des römischen Reiches zu sein.

Wenn wir der Geschichte des alten Antiochien hier so viel Raum gewährt haben, dann nicht nur deshalb, weil es eine zentrale Bedeutung im Hinblick auf den Dreifaltigkeits - Hymnus hatte, sondern auch, um uns die Eigenart der Menschen, deren Leben anderthalb Jahrtausende zurückliegt und deren religiöse Kämpfe uns im Folgenden beschäftigen werden, ein wenig näher zu bringen.

---

[50] Der Abschnitt über den Persereinfall ist wiedergegeben nach G. Downey, The Persian Campaign, S. 340 - 348.

II.
Nestorianismus

Wenn uns auch in vorliegender Arbeit vor allem der Monophysitismus und die Orthodoxie beschäftigen, bedarf es doch eines Seitenblicks auf den Nestorianismus, denn wir haben es mit der sogenannten Kontroverstheologie zu tun, wobei die Entwicklung der verschiedenen Lehren durch die Herausforderung des Gegners vorangetrieben wird. Die nestorianische Lehre war von entscheidender Bedeutung für das Verhalten des Eutyches auf dem zweiten Konzil von Ephesus, wo er, wie wir später ausführen werden, aus Furcht davor, des Nestorianismus verdächtigt zu werden, zweideutige Antworten gab, die in ihrer letzten Konsequenz zu einer Reihe von monophysitischen Sekten führten.

Was uns über die Kirche der Nestorianer bekannt ist, danken wir einigen Theologen, vor allem Narsai dem Aussätzigen und Babai dem Großen[1]. Letzterer hat am Ende des sechsten Jahrhunderts eine Abhandlung über die Union der Naturen in Jesus Christus geschrieben[2]. Fernerhin ist von Timotheus dem Katholiken, der um die Wende vom achten zum neunten Jahrhundert lebte, eine Briefsammlung erhalten, die einen wesentlichen Einblick in den Nestorianismus gewährt[3]. Und am Ende des elften Jahrhunderts hinterließ der Metropolit von Nisibis, Eli ba Sinai, ein Buch, das die Terminologie der Nestorianer wiedergibt: „Das Buch vom Beweis der Wahrheit des Glaubens[4]".

Im dreizehnten Jahrhundert schrieb Salomon von Bassora ein Buch, das einen Überblick über den allgemeinen Glauben gibt: „The Book of the Bee[5]". Auch findet sich ein aufschlußreicher Abriß der gesamten nestorianischen kirchlichen Wissenschaft am Ende des dreizehnten Jahrhunderts bei Ebed - Jesus, dem Metropoliten von Nisibis[6]. In den auf uns überkommenen Fragmenten treten immer wieder dieselben Formeln und Beweisgründe auf, sodaß es sich vielfach nicht eindeutig bestim-

---

[1] V. Grumel, Bd. XXII, S. 153 - 181, 257 - 280, Bd. XXIII, S. 9 - 33, 162 - 177, 257 - 274, 395 - 399.
[2] Babai, Ser. II, Bd. LXI. - Fr. Martin, Homélie de Narsès, S. 446 - 492; Bd. XV, S. 469 - 525.
[3] Epistolae, Corp. script. christ. orient., Louvain 1953. Ser. II, Bd. LXVII. - W. Wright, S. 191 - 194.
[4] L. Horst, Des Metropoliten Elias von Nisibis.
[5] E. A. W. Budge, Bd. I b.
[6] Ebed - Jesus, Bd. X b, S. 317 - 341, 342 - 366. - Rubens - Duval, S. 245 - 246.

men läßt, in welchem Jahrhundert diese oder jene Schrift entstand. - Offenbar geht dieser konservative Charakter auf die ausgezeichnete Organisation zurück, für die die nestorianischen Schulen bekannt sind[7].

Die Lehre selbst stammt von Diodor von Tarsus, dessen bedeutendster Anhänger Theodor von Mopsuesta war[8]; benannt wurde sie nach Nestorius, dem ihre Verbreitung zu danken ist[9]. Theodor selbst genoß größte Achtung, und seine Lehre wurde heilig gehalten. Nur einen einzigen ernsthaften Aufstand hat es gegen die theodorianische Lehre gegeben: Henana von Adiabene, der der Leiter der Schule von Nisibis während der Zeit von 572 bis 610 war, lehnte sich gegen Theodor auf; doch setzte er sich auf die Dauer nicht mit seinen gegen Nestorius geschriebenen Büchern durch: sie wurden vernichtet und hinterließen keine Spuren[10].

Im Hinblick auf die Konzilstexte halten sich die Nestorianer an das Symbol von Nicaea und von Konstantinopel, während sie das Konzil von Ephesus verwerfen[11]. Unterschiedlich ist ihre Haltung dem Konzil von Chalcedon gegenüber: positiv vom nestorianischen Standpunkt aus war, daß dieses Konzil die dyophysitische Lehre kanonisiert und die Monophysiten anathematisiert hatte, - negativ hingegen, daß Nestorius verdammt, Cyrill jedoch anerkannt wurde[12]. Hinsichtlich der nestorianischen Kirche ist zu sagen, daß sie als grundlegendes christliches Dogma die trinitarische Lehre anerkennt. Darin stimmen die Nestorianer mit den Melchiten und Jakobiten überein; ungeachtet dessen, was die Nestorianer von den Cyrill - Anhängern und den Chalcedonensern trennt, bleiben doch die Grundlagen des Glaubens selbst bestehen, da diese verschiedenen Konfessionen die vollkommene Göttlichkeit Christi anerkennen[13].

In Bezug auf die Christologie ist die nestorianische Theologie ausgesprochen dyophysitisch. Immer wieder begegnet man Bestimmungen, die aussagen, daß Christus vollkommener Gott sei, daß das WORT substantiell im VATER sei, und daß das WORT substantiell vollkommener Mensch im Menschen sei, daß Christus Fleisch und Blut vom Geschlechte Adams habe, eine vernünftige Seele, und daß er, abgesehen von der Sünde, dem Menschen in allem ähnlich sei[14]. Zur Bezeichnung von Jesus wird zum Teil der abstrakte Terminus „Menschheit" gebraucht, zum Teil aber auch der konkrete Terminus „Mensch". Der Gebrauch des konkreten Wortes ging auf die bis zum fünften Jahrhundert überlieferte lateinische Ausdrucksweise zurück. Babai pflegte im allgemeinen zu sagen „Der Mensch unseres Herrn Jesus Christus", wen-

---

[7]   A. Baumstark, S. 18.
[8]   J. Tixeront, S. 11 - 22. L. Pirot, L'oeuvre exégétique.
[9]   Th. Hermann, S. 89 - 122.
[10]   Ebd.
[11]   G. P. Badger, Bd. II., S. 126 - 129.
[12]   Ebd. - Babai, Ser. II, Bd. LXI, S. 61.
[13]   G. P. Badger, S. 79.
[14]   Ebd.

dete jedoch auch gelegentlich das abstrakte Wort „Menschheit" an[15]. Christus wird unbedingt als Sohn Gottes, nicht als Adoptivsohn Gottes, anerkannt. Im Symbol von Ischoyab I. heißt es im Jahre 588: „Christus, der Sohn Gottes, hat im Fleisch gelitten, - in der Natur seiner Göttlichkeit aber war Christus, der Sohn Gottes, oberhalb der Leidenschaften . . .[16]". Sie glaubten wie die Chalcedonenser, abgesehen von einigen Antiochenern, an die doppelte Zeugung des WORTES: an eine ewige Zeugung und an eine zeitliche Zeugung[17]. Als reinsten Typus der hypostatischen Union verstanden sie die Union von Seele und Körper; sie lehnten es ab, die Union von Gott dem WORT und dem von IHM angenommenen Menschen mit der Union von Seele und Körper zu vergleichen. Babai hat eine ganze Abhandlung darüber gegen diejenigen geschrieben, welche sagen: „Ebenso wie die Seele und der Körper eine einzige Hypostase sind, so sind Gott das WORT und der angenommene Mensch eine einzige Hypostase[18]". Babai stellt den Unterschied zwischen den beiden Unionen klar heraus: zwischen der Union von Seele und Körper sowie zwischen der Union von Gott dem WORT und der Menschheit. Die Union von Seele und Körper nennt er hypostatisch und der Notwendigkeit unterworfen; die Union von Gott dem WORT und der Menschheit nennt er personal und freiwillig. Zu den nestorianischen Bezeichnungen für die Union vom WORT und von der Menschheit gehören, - um nur einige zu nennen -, 'der Tempel und derjenige, der ihn bewohnt' und ,Vereinigte Einwohnung'[19]. Charakteristisch für die nestorianische Terminologie ist der Ausdruck ,personale Union', freilich verstanden in nichtchalcedonensischem Sinne[20]. Hinsichtlich des Terminus „Willens - Union", der von den nestorianischen Theologen häufig gebraucht wird, hat Babai eine aufhellende Erklärung gegeben: gemeint ist vor allem der göttliche Wille, nicht der menschliche Wille Jesu, wenn von der Willens - Union

---

[15] Synode von Joseph im Jahre 554: „Wir bewahren das orthodoxe Bekenntnis der zwei Naturen in Christus, d. h. seiner Göttlichkeit und seiner Menschlichkeit; wir bewahren die Eigentümlichkeiten der Naturen, und wir leugnen jede Art von Verschmelzung, Vermischung und Veränderung in ihnen." - Synodocon orientale, Bd. XXXVII, S. 98, Übertr. S. 355.

[16] Synodicon orientale, Bd. XXXVII, S. 195, Übertr. S. 454. A. Baumstark, S. 126.

[17] Babai, Ser. II, Bd. LXI, S. 67. „Quicum non confitetur eiusdem Dei Verbi esse duas generationes, unam ante saecula ex Patre sine tempore et sine corpore, alteram in novissimis Diebus cum de caelo descendit et incorporatus est de sancta et gloriosa Deipara, semper virgine, anathema sit."

[18] Babai, Ser. II, Bd. LXI, S. 235 - 247.

[19] G. P. Badger, Bd. II, S. 34 - 35.

[20] Babai, Ser. II, Bd. LXI, S. 138. „Deus Verbum naturaliter non habet duas personas naturales ita sunt duo Filii, sicut homo non dicitur duo animalia. Et fieri non potest ut uni hypostasi sint secundum naturam duae personae, iuxta commentum impiorum. Quod vero una persona sit duabus hypostasibus, ecce demonstratum est: sed quod duae personae naturales et hypostaticae sint uni hypostasi naturali hoc impossibile est ita ut hypostasis et persona Dei Verbi sint cum hypostasi et persona hominis una hypostasis."

gesprochen wird. Diese Union wird darum so genannt, weil die Nestorianer annahmen, daß das göttliche WORT in freier Willensentscheidung die menschliche Natur zu sich erhoben hat. Der menschliche Wille wird scharf unterschieden vom göttlichen Willen[21]. - Hinsichtlich der Anthropologie bekennt sich Babai zu der Theorie, nach welcher der Mensch erst am vierzigsten Tage im Mutterleib belebt wird, und er sieht keine Veranlassung, Christus diesem allgemeinen Entwicklungsgesetz zu entziehen. So lesen wir bei Babai: „Da mit aller Anschaulichkeit ohne Zweifel erkannt ist, daß mit der Verkündung des Engels zugleich eine Vereinigung und Einwohnung stattfand, obwohl die Menschheit unseres Herrn in ihrer absoluten Subjektivität noch nicht vollendet war, weil er, - wie er der Tradition aller orthodoxen Väter gemäß gesagt hat - , dennoch außerhalb des Konkubitus so wie alle anderen Knaben die Ordnung im Hinblick auf alle übrigen Eigenschaften der Natur bewahrt hat; denn als er geformt und beseelt wurde, ist er uns in allem ähnlich geworden, abgesehen von der Sünde[22]“.

Zwei Jahrhunderte lang hält sich die nestorianische Terminologie im allgemeinen an die Formel: zwei Naturen, eine Person. - Dies hatte zur Folge, daß man die Nestorianer vielfach den Chalcedonensern gleichstellte. Aber am Ende des sechsten Jahrhunderts setzte sich die Definition durch: zwei Naturen, zwei Hypostasen, eine Person. - Daß in der nestorianischen Terminologie unter ‚Hypostase' etwas anderes zu verstehen ist als was die Chalcedonenser unter 'Person' verstehen, darüber hat sich Babai eingehend in seinem Werk „Über die Differenz zwischen der Hypostase und der Person" ausgesprochen[23]. Darnach ist von Gott dem WORT die menschliche Person angenommen worden, nicht jedoch die Hypostase. - Anders formuliert können wir sagen: die individuellen Züge, durch welche die konkrete menschliche Natur Christi ausgezeichnet ist, werden der Person des WORTES hinzugefügt. Die konkrete menschliche Natur Christi aber (hypostase in der nestorianischen Terminologie) verschmilzt nicht mit der Hypostase des WORTES[24]. Babai selbst bestand jedoch darauf, diese Lehre durch die Formel von zwei Hypostasen auszudrücken. Und wenn die nestorianische Theologie auf dieser Terminologie bestand, so bedeutete dies den Gegenschlag gegen die Versuche des Bischofs Martyrius von Sahdona, chalcedonische Ideen zu verbreiten. Martyrius, ein Zeitgenosse Ischoyabs III., vertrat in der persischen Kirche die Definition von Chalcedon[25]. Seit der bischöflichen Versammlung vom Jahre 612 ist für die nestorianische Kirche Christus „vollkommener Gott", d. h. Gott das WORT wird als eine der Hypostasen der Trinität verstanden. Und wenn Christus „vollkommener Mensch" genannt wird, so ist damit die eine einzige menschliche

---

[21]   G. P. Badger, S. 36.
[22]   Babai, Ser. II, Bd. LXI, S. 86.
[23]   Ebd., S. 129.
[24]   H. Goussen, S. 18.
[25]   Synodicon orientale, Bd., XXXVII, Übertr. S. 583.

Hypostase gemeint, die vom WORT um unseres Heiles willen angenommen wurde[26].
Indem die Nestorianer die Severianer angreifen, werfen sie die Frage auf, ob Christus, der Sohn Gottes, Gott der Natur nach und der Hypostase nach sei. - Wenn dies
so sei, dann gäbe es zwei Naturen und zwei Hypostasen. Anderenfalls müsse man fragen, welcher von beiden, der Gott oder der Mensch, ohne Natur und ohne Hypostasen sei[27].

Etwas anderes, was die Nestorianer niemals anerkannt haben, ist, in der Jungfrau
Maria die Gottesgebärerin zu sehen. Schon Theodor und Nestorius hatten sie abgelehnt[28], und die Synode vom Jahre 585 bezeichnet alle diejenigen als Häretiker, die
der göttlichen Natur und der göttlichen Substanz die Eigentümlichkeiten und Leiden
der menschlichen Natur zusprechen. Zwar könnten auf Grund der vollkommenen
Union von Christi Gottheit und Menschheit sowohl die Eigentümlichkeiten als auch
die Leiden der menschlichen Natur Gott zugesprochen werden, freilich nur in ökonomischer, nicht in natürlicher Hinsicht. - Diese Synode bezeichnet diejenigen als fern
der Wahrheit, die behaupten, daß Gott durch Maria geboren worden sei, daß er gewachsen sei, gegessen, getrunken, geschlafen habe, daß er Hunger und Durst gehabt
habe, gelitten habe und gekreuzigt worden sei. - Diese Bestimmung zeigt, daß die Nestorianer den Glauben an den leidenden Gott völlig ablehnen. Für sie ist nur der
Mensch Jesus von Maria geboren worden: nur der Mensch Jesus hat gegessen, getrunken, geschlafen, nur er hat gelitten, nur er wurde gekreuzigt und starb[29]. Über die
Union des Gottessohnes und des Menschensohnes schreibt Babai: „Der Name des
Menschensohnes bezieht sich sowohl auf seine menschliche Natur als auch - auf
Grund der Vereinigung - ausnahmsweise auf Gott das WORT; desgleichen der Name
‚Jesus‘ und ‚Christus‘. - Ebenso beziehen sich der Name ‚Sohn‘ und der Name ‚Herr
der Herrlichkeit‘, - auch wenn sie sich auf Grund der personalen Vereinigung besonders auf die Gottheit Christi beziehen -, doch ausnahmsweise auf seine Menschheit:
‚Wenn sie nämlich jenen erkannt hätten, dann hätten sie den Herrn der Herrlichkeit
nicht gekreuzigt.‘ (I. Korinther, II., 8); und ‚Welcher seines eigenen Sohnes nicht geschonet hat, sondern jenen für uns alle dahingegeben hat.‘ (Römer, VIII, 32). - Aber
er ist gekreuzigt worden und gestorben in seiner Menschheit, nicht in seiner Gottheit,
und er ist der Herr der Herrlichkeit und der Sohn Gottes auf Grund der Vereinigung
und Verbindung, die mit dem ewigen Sohn und dem Herrn der Herrlichkeit, welcher
Gott das WORT ist, geschahen. - Was sich also besonders auf das WORT bezieht, bezieht sich auf Grund der Vereinigung ausnahmsweise auf den Menschen[30]“.

Mit dem siebenten Jahrhundert zeigt sich der Nestorianismus in zunehmender

---

27 Ebd., S. 587.
28 Ebd., S. 398.
29 Ebd., S. 508 - 509.
30 Babai, Ser. II, Bd. LXI, S. 53 - 54.

Weise feindlich gegen den Begriff der Gottesgebärerin und gegen den des leidenden Gottes. Noch im elften Jahrhundert bekämpft Elias von Nisibis den Begriff der Gottesgebärerin voller Schärfe[31]. Und wenn er auch anerkennt, daß Jakobiten und Melchiten in einigen Punkten mit dem Nestorianismus übereinstimmen, so klagt er sie doch der Häresie an, in Maria die Gottesgebärerin zu sehen. Diese ihre Lehre sei darum so verwerflich, weil sie in Christus eine einzige Hypostase annähmen[32]. Aber doch hat die nestorianische Kirche ungeachtet dieser Streitschrift des Elias von Nisibis gegen die Gottesgebärerin immer der Jungfrau Maria ihre Achtung bewahrt[33].

Aus der Art und Weise, wie die Nestorianer die personale Vereinigung verstehen, ergibt sich als Konsequenz die Dualität der energeia. Dieser dyophysitischen Lehre zufolge ist jede Wirkweise dynergistisch aufzufassen[34]. So erklärt es sich, daß die verschiedenen Glaubensbekenntnisse der Nestorianer im allgemeinen auf der Verdammung des Monotheletismus bestehen. Es gibt eine Reihe von Texten, in denen die beiden Aktivitäten, die göttliche und die menschliche, der einen Person Christi aufgezeigt werden. - Dieses Themas hat sich auch Babai angenommen und dabei das Problem der fortschreitenden Entwicklung der Menschheit Christi behandelt. Wir zeigten bereits, daß Babai davon überzeugt war, die Union von Gottheit und Menschheit habe schon bei der Empfängnis selbst stattgefunden, was jedoch (nach Babai) nicht das Vorhandensein von Leidenschaften in der Menschheit Christi ausschließe. Aber Babai bestätigt, daß diese Leidenschaften sich nicht mehr in dem verklärten Christus befänden. Und zwar schreibt Babai es der Taufe zu, daß es zur Leidenschaftslosigkeit und zur Unveränderlichkeit in Christus kommen konnte[35]. „Obwohl die Union vom Mutterschoß an erfolgt ist und durch den heiligen Geist das Prinzip unseres Lebens gestaltet worden ist, d. h. die Menschheit unseres Herrn, welcher der neue Adam ist, so ist er dennoch nicht am Anfang seiner Formung vollkommen an Weisheit und Unsterblichkeit auf Grund der Vereinigung, die ihm mit dem Gottes - WORT geworden ist, welches ihn in seine Person aufgenommen hat, sodaß er eine Wohnstätte der Gottheit sei. - So sagen wir nämlich nicht, daß die Menschheit unseres Herrn vom Anfang ihrer Bildung her ganz und gar vollkommen und nicht bedürftig war, wie nach der Auferstehung. - Wie wäre das auch möglich? - Er aß, er dürstete, er ermüdete, er schlief, er geriet in Verwirrung, er fürchtete sich und ertrug Schmerz der Seele und des Leibes, und er sagte, er sei traurig, und er hat gelitten, und er ist begraben worden, und er ist auferstanden, er hat alles ertragen; deshalb ist es schließlich völlig so, wie oben gezeigt worden ist[36]". Zur weiteren Ver-

---

[31] L. Horst, S. 46 - 56.
[32] Ebd., S. 56.
[33] G. P. Badger, S. 51 - 53; S. 70 - 71.
[34] F. Loofs, S. 406 u. S. 398.
[35] Babai, Ser. II, Bd. LXI, S. 118 - 119.
[36] Ebd.

deutlichung fügt Babai hinzu: „Aber diese Tätigkeiten des göttlichen Heilsplanes sind bei der Menschheit unseres Herrn in der Taufe geschehen, damit er einsehe, daß er selbst die Taufe - gleichsam als Erstlingsgabe des Geistes, als Unterpfand der Unsterblichkeit - empfangen hat[37]".

Was die Lehre von der Gemeinsamkeit der Eigentümlichkeiten in Christus anlangt, so ist sie von Diodor von Tarsus und Theodor von Mopsuesta abgelehnt worden, während sich Nestorius in der folgenden Weise dazu äußert: „Die Gemeinsamkeit der Eigentümlichkeiten kann sich nur auf das prosopon der Vereinigung beziehen lassen und auf die Namen, die es bezeichnen. Christus, dem SOHN, dem HERRN, wird man alle göttlichen und menschlichen Eigentümlichkeiten zuschreiben können. -Christus ist vollkommener Gott und vollkommener Mensch, ebenso der SOHN wie der HERR. – Christus, der SOHN, der HERR, ist zugleich leidensfähig und nicht – leidensfähig, sterblich und unsterblich ... SOHN Gottes und Sohn Maria ...[38]". Von hier aus ist die Stellung des Nestorius hinsichtlich der ‚Gottes-Gebärerin' zu verstehen: er sieht in Maria die ‚Christus - Gebärerin[39]'. - Dadurch, daß die Nestorianer die göttliche und die menschliche Natur Christi gleichsam auseinanderfallen ließen, glaubten sie sich der Häresie schuldig zu machen, wenn sie Maria als Gottes - Gebärerin anerkannten; während sie, wenn sie Maria ‚Christus - Gebärerin' nannten, die menschliche Natur miteinbezogen.

[37] Ebd., S. 120 - 121.
[38] M. Jugie, S. 116; P. G., XLVIII, 909, 911.
[39] F. Loofs, S. 205, 292.

III.
Eutychianismus

Die monophysitische Lehre, die den Namen Eutychianismus trägt, geht auf Eutyches zurück, der im Jahre 378 geboren wurde, wie aus seinem Brief an Papst Leo
hervorgeht[1]. Den Ort seiner Geburt erfahren wir nicht, doch erhielt er seine Ausbildung in einem der byzantinischen Hauptstadt nahe gelegenen Kloster[2]. Bereits im
Alter von dreißig Jahren wurde er zum Archimandriten seines Klosters ernannt, dem
etwa dreihundert Mönche zugehörten. Als heftiger Gegner des Nestorianismus setzte er sich für Cyrill von Alexandrien ein[3]. Er kam zu beträchtlichem Einfluß durch
die Vermittlung des Eunuchen Chrysaph, den er selbst getauft hatte und der bei Hofe
zu Ansehen gelangt war. Eutyches machte von seinem Einfluß vor allem gegen diejenigen Gebrauch, die ihm des Nestorianismus verdächtig erschienen. Und ihm, der
sowohl Diodor als auch Theodor öffentlich ananthemisierte und zudem die Gunst
des Kaisers genoß, schlossen sich die Gegner des Nestorianismus an. Er bemühte
sich, die Anordnungen des Kaisers auszuführen und nahm sich der kirchlichen Angelegenheiten voller Eifer an. Er vertrieb alle, die ihm häretisch erschienen und unterstützte jeden, der seines Glaubens war[4]. So bat ihn Dioskur, ihm gegen die Nestorianer zu helfen, was er auch tat, und woraufhin es in Syrien zu drückenden Maßnahmen kam: Bischof Irenäus von Cyr, ein Freund des Nestorius, wurde abgesetzt und
das gegen Nestorius und Porphyrius gerichtete Urteil vom Jahre 435 durch einen kaiserlichen Erlaß erneuert (Feb. 448)[5]. Und Theodoret, der die Verteidigung übernommen hatte, mußte auf Befehl des Kaisers Antiochien verlassen[6]. Bald sollte es sich
jedoch zeigen, daß Eutyches, den die nestorianische Lehre so sehr beunruhigte, in
den entgegengesetzten Irrtum verfiel, nämlich anstelle von zwei Naturen nur eine
einzige in Christus anzunehmen. Er stützte sich hierbei auf die cyrillische Formel:
‚Mia physis tou Theou Logou sesarkomene‘ und ging so weit, in jedem, der zwei
Naturen in Christus annahm, einen Nestorianer zu sehen[7]. Zwar zögerten die Nestorianer einstweilen noch, diese Häresie des so mächtigen Archimandriten zu denun-

J. D. Mansi, V, 1015.
Ebd., VII, 62.
F. Nau, Le livre d'Héraclide, S. 241.
Ebd., S. 294 - 295.
R. Devreesse, Le patriarcat d'Antioche, S. 56.
Ebd., S. 60. – Theodoret, P. G., Epist. LXXXVI - LXXXIX, 1276.
F. Nau, Le livre d'Héraclide, S. 296 - 297.

zieren. Doch begann schließlich Theodoret den Kampf gegen ihn mit seinem „Eranistes" vom Jahre 447. Er widerlegt darin, ohne Eutyches zu nennen, den reinen Monophysitismus, der die beiden Naturen in Christus und damit zugleich die Unveränderlichkeit und Empfindungsfähigkeit in Frage stellt[8]. Daraufhin klagte Domnus von Antiochien in einem Brief an Kaiser Theodosios II. Eutyches des Apollinarismus an.

Gegen Ende des Jahres 448 berief Flavian, der Patriarch von Konstantinopel, diejenigen Bischöfe in die permanente Synode, die bereits in Konstantinopel gewesen waren, um eine Meinungsverschiedenheit zwischen dem Metropoliten von Sardes und zwei anderen Bischöfen zu schlichten. Die Angelegenheit wurde rasch erledigt, in dem Augenblick aber, als die Bischöfe auseinandergehen wollten, brachte Eusebius von Dorylaeum eine Anklageschrift gegen Eutyches vor. Er beschuldigte ihn, sich von der Orthodoxie entfernt zu haben und die Väter zu mißachten, deren Glaube als unantastbar anerkannt war. Eusebius von Dorylaeum erhob Einspruch dagegen, Eutyches vor einem Konzil erscheinen zu lassen, erklärte sich jedoch bereit, ihn persönlich seines Irrtums zu überführen[9]. In Gegenwart einiger Zeugen fand eine Unterredung statt zwischen Eusebius und Eutyches. Da es Eusebius nicht gelang, Eutyches von seiner Irrlehre zu befreien[10], schreckte er nicht mehr davor zurück, Eutyches, mit dem er gemeinsam gegen den Nestorianismus gekämpft hatte, vor ein Konzil fordern zu lassen[11]. Es war jedoch schwierig, den Archimandriten aus seinem Kloster herauszuholen: der ersten zu ihm gesandten Delegation erwiderte er, ihn hindere sein Gelübde der dauernden Abgeschiedenheit, das Kloster zu verlassen[12]. Der zweiten erklärte er, krank zu sein[13]. Und auch, als eine dritte Delegation ihn aufforderte, am 17. November 448 zur Konzilssitzung zu erscheinen, sagte er wiederum ab, nocheinmal seine Krankheit vorschützend[14]. Flavian bewilligte ihm eine Frist bis zum 22. November. Eutyches machte sich die Verzögerungen zunutze, indem er Geheimboten in die Klöster von Konstantinopel sandte und um Unterstützung bat[15]. Das hatte zur Folge, daß eine große Anzahl von Mönchen, Soldaten und Funktionären erschien. Auch Chrysaph, der von ihm getaufte, so einflußreiche Eunuch, hatte seiner in dieser schwierigen Lage gedacht[16]. Eutyches, auf dem Konzil um seine Meinung über die beiden Naturen in Christus befragt, weigerte sich, zwei Naturen in

---

8   Theodoret, Haereticarum fabularum compendium, IV, 13, P. G., Bd. LXXXIII. – Facundus von Hermiane, Pro defensione trium capitulorum, 1. VIII, c. v; I. XII, c. v., P. L., Bd. LXVII, 723, 849.
9   J. D. Mansi, Concil., VI, 651 - 654.
10 Ebd., VI, 655. – F. Nau, le livre d'Héraclide, S. 296 - 298.
11 J. D. Mansi, Concil., 655.
12 J. D. Mansi, VI, 697 - 700.
13 Ebd., VI, 703.
14 Ebd., VI, 711 - 718.
15 Ebd., VI, 719 - 724.
16 Ebd.

Christus nach der Union anzunehmen. Auch lehnte er es ab, anzuerkennen, daß Christus uns seiner menschlichen Natur nach konsubstantiell sei[17]. Die Sitzung endete mit der Verkündigung, daß Eutyches von dem Irrtum des Valentinus und des Apollinarius durchdrungen sei, weshalb er aller priesterlichen Würde beraubt und aus der Gemeinde sowie aus dem Kloster ausgestoßen wurde[18]. - Diese Entscheidung traf Eutyches und zugleich auch alle Monophysiten hart. Flavians Urteilsspruch kam einem Aufruf zum Kampf zwischen der monophysitischen und der orthodoxen Partei gleich. Eutyches hatte sich während der Sitzung bereit erklärt, zwei Naturen in Christus anzuerkennen, sofern die Väter von Rom und von Alexandrien es befehlen würden[19]. Er erhob Einspruch gegen das Urteil und sandte seinen Apell an Papst Leo und an mehrere Bischöfe, wobei er der Anklageschrift des Eusebius von Dorylaeum seine eigene Antwort, sein Glaubensbekenntnis und eine Textsammlung der Väter über die beiden Naturen hinzufügte[20]. Außerdem erbat er den Schutz des Kaisers. - Theodosius II. nahm ihn gut auf und sagte ihm zu, seine Bittschrift an den Papst mit einem Brief zu unterstützen[21].

Der Kaiser versuchte, Flavian dazu zu bewegen, Eutyches in seine Gemeinde aufzunehmen; doch lehnte der Patriarch diese Bitte ab[22]. - Im folgenden Jahr brachte Eutyches eine neue Anklage gegen Flavian vor: er behauptete, die Akten der Synode von 448 seien an verschiedenen Stellen gefälscht und bat Theodosius II., dies durch eine neue Synode untersuchen zu lassen[23]. Der Kaiser erfüllte seine Bitte, und am 13. April 449 fand ein zweites Konzil unter dem Vorsitz Flavians in der großen Kirche von Konstantinopel statt. Vierunddreißig Bischöfe waren unter der Assistenz von drei kaiserlichen Beamten zugegen. Im Ganzen genommen war das Ergebnis für Flavian günstig, doch blieb es ungeklärt, ob er - wie die Anklage lautete - das Urteil über Eutyches bereits vor der letzten Sitzung in Ephesus abgefaßt habe. Um dieses zu ermitteln, befahl Theodosius eine nochmalige Untersuchung, die am 27. April 449 vorgenommen wurde, Flavian jedoch entlastete: da sich Eutyches dreimal geweigert hatte, beim Konzil zu erscheinen, war Flavian berechtigt gewesen, sein Urteil im voraus abzufassen[24]. Flavian berichtete dem Papst ausführlich das Vorgefallene, und der hl. Leo kam zu der Überzeugung, daß Eutyches vom wahren Glauben abgewichen sei[25]. Da Eutyches vermutete, daß ihm der Papst nicht wohl gesonnen sei, wirk-

---

[17] Ebd., VI, 746 - 754.
[18] Ebd., VI, 748.
[19] Ebd., VI, 820.
[20] P. L. LIV, 713, 739.
[21] Ebd., LIV, 730.
[22] J. D. Mansi, VI, 539 - 540.
[23] Ebd., VI, 764 - 766.
[24] Ebd., VI, 753 - 828.
[25] P. L. LIV, 752.

te er gegen Ende des Jahres 449 auf die Einberufung eines neuen Konzils hin. Und in der Tat fand ein weiteres Konzil am 1. August 450 in Ephesus statt[26]. Es ist dies dasjenige Konzil, das in die Geschichte unter der Benennung ‚Räubersynode‘ eingegangen ist. Papst Leo selbst bezeichnete es mit ‚Räuberei‘. - Dioskur hatte die Kühnheit, dort in führender Weise so heftig zu sprechen, daß es ihm gelang, Flavian zu verurteilen, Eutyches hingegen zu rechtfertigen. Zur Verlesung der von den römischen Legaten überbrachten päpstlichen Briefen, in denen die Verdammung des Eutyches ausgesprochen war, kam es überhaupt nicht. Er gab seiner Achtung vor den heiligen Vätern Ausdruck, verdammte Valentinus, Apollinarius und Nestorius sowie alle Häretiker seit Simon dem Magier; auch verurteilte er diejenigen, die behaupteten, Christi Fleisch sei vom Himmel herabgekommen[27]. Schließlich sprachen die Väter das Anathema über jeden, der zwei Naturen in Christus nach der Inkarnation anerkenne. Darnach wurden die Bischöfe von Dioskur gefragt, wie sie über die Lehre des Eutyches dächten. Und da sich einhundertundvierzehn zu seiner Lehre bekannten, wurde Eutyches wieder in sein Amt eingesetzt und die Exkommunikation seiner Mönche aufgehoben[28]. Zwar gelang es Eutyches und Dioskur, das räuberische Konzil von Ephesus zu sanktionieren und Flavian durch Anatolius, einen Alexandriner, zu ersetzen. Doch anerkannte der Papst weder Eutyches und Dioskur noch den von ihnen als Patriarch von Konstantinopel eingesetzten Anatolius. -

In diese Zeit fällt des Kaisers tödlicher Sturz vom Pferde. Das änderte völlig die Situation. Denn Pulcheria, die seinerzeit schon die Orthodoxie gegen die Nestorianer verteidigt hatte, ließ den Senator Marcian als Kaiser anerkennen und ging mit ihm eine Ehe ein. Chrysaph hingegen, der Günstling des verstorbenen Theodosius, wurde entlassen und Eutyches verbannt. Der Patriarch Anatol, obzwar von Eutyches und Dioskur eingesetzt, beeilte sich, auf einer in Konstantinopel abgehaltenen Synode, Eutyches zu anathematisieren und den Brief des Papstes Leo an Flavian zu unterschreiben. Alle Bischöfe des Orients taten das Gleiche, außer Dioskur und denjenigen, die sich zu Dioskur bekannten[29].

Das Konzil von Chalcedon vom Jahre 451 bedeutet das Ende der eutychianischen Häresie. Das Prozeßverfahren der Räuberei von Ephesus wurde nocheinmal überprüft und die eutychianische Lehre von der einen Natur in Christus nach der Union verdammt[30]. - Papst Leo hatte Pulcheria gebeten, Eutyches fern von Konstantinopel unterzubringen. Wohin er gebracht wurde, ist nicht bekannt, doch tauchte er schließlich in Jerusalem auf, wo er gastfreundlich von Hesychios aufgenommen wurde. Er verbreitete auch dort seine Lehre, weshalb sich der Papst für einen noch entlegene-

---

[26] Mansi, VI, 588.
[27] Ebd., V, 629 - 634.
[28] J. D. Mansi, V, 833 - 862.
[29] Ebd., V, 862 - 870.
[30] L. Duchesne, Histoire ancienne, Bd. II, S. 471.

ren Ort aussprach, um es Eutyches unmöglich zu machen, weiterhin dem orthodoxen Glauben zu schaden[31]. Von da an erfahren wir nichts mehr über Eutyches. Seine
Werke waren ohnehin schon auf Grund eines kaiserlichen Ediktes vom 28. Juni 452
zur Verbrennung verurteilt worden[32]. Lediglich einige Briefe und Erklärungen sind
in den Konzilsakten aufbewahrt. - Das Häretische an der Lehre des Eutyches besteht
vor allem in seinen zum Teil zweideutigen Aussagen. Er beteuerte, niemals gesagt zu
haben, daß das WORT sein Fleisch vom Himmel herabgebracht habe, und er bekannte, daß derjenige, der von der Jungfrau Maria geboren worden sei, vollkommener
Gott und vollkommener Mensch sei[33]. Auch beim Konzil von Ephesus im Jahre 448
hatte er sich in ähnlicher Weise erklärt, indem er sagte: „Ich bekenne, daß der Sohn
Gottes von dem Fleisch der Jungfrau inkarniert worden und vollkommener Mensch
geworden ist für unser Heil[34]." Er bekannte, daß die Jungfrau Maria uns konsubstantiell sei, und daß unser Gott von ihr inkarniert worden sei[35]. Dem hl. Leo gegenüber
sprach Eutyches in seinem nach der Verurteilung geschriebenen Brief über Apollina-
rios, Valentinos und Nestorios sowie über alle Häretiker den Bannfluch aus, d.h. über
alle diejenigen, die behauptet hatten, daß das Fleisch Christi vom Himmel herabgekommen sei[36]. Und sein Glaubensbekenntnis, das er dem hl. Leo schickte, ist durch-
aus orthodox[37]. Nach diesen Erklärungen fragte sich Papst Leo, worin wohl der
Irrtum des Eutyches bestanden haben möge[38]. Indem Eutyches die Definition von
Nicaea und Ephesus annahm und sich zugleich auf Cyrill von Alexandrien berief sowie auf Gregor von Thaumaturgos, auf Gregor von Nazianz, Basileios, Athanasios
und Proklos, wies er den Vorwurf zurück, die Väter zu verachten[39]. Bei der „Räuber-
Synode" von Ephesus beteuerte er ebenfalls seine Liebe zu den Vätern, während er
alle Häretiker anathematisierte[40].

Es drängt sich nach alledem die Frage auf, wieso man beim Konzil von Ephesus
(448) Eutyches als durchdrungen vom valentinischen und apollinaristischen Irrtum
befunden hat. Daß es geschehen konnte, ihn des Doketismus, des groben Monophysitismus, des Origenismus und sogar des Nestorianismus anzuklagen, geht
offenbar auf die Zweideutigkeit zurück, die in zwei seiner Äußerungen liegt. Das eine
Mal äußert er sich in der Weise, daß Christus vor der Union zwei Naturen gehabt ha-

---

[31] P. L., CXXXIV, 1095.
[32] J. D. Mansi, VII, 501.
[33] Ebd., VI, 700, 725 - 730.
[34] Ebd., VI, 740.
[35] Ebd., VI, 741.
[36] P. L., LIV, 717, 718.
[37] Ebd., LIV, 718.
[38] Ebd., LIV, 735 - 736.
[39] Ebd., LIV, 718.
[40] J. D. Mansi, VI, 631 - 634.

be, nach der Union jedoch nur eine einzige Natur[41]. Der zweite Teil seiner Antwort macht die monophysitische Häresie aus. In seiner anderen zweideutigen Antwort leugnet Eutyches, daß Jesus Christus uns konsubstantiell gewesen sei[42]. Die Frage Flavians lautete: „Bekennst du, daß ein und derselbe Sohn, unser Herr Jesus Christus, konsubstantiell seinem Vater ist, was seine Göttlichkeit betrifft, und konsubstantiell seiner Mutter, was seine Menschlichkeit betrifft[43]?" Eutyches erwiderte, daß er sich bis zu diesem Tage ein solche Art der Spekulation nicht erlaubt habe; bisher habe er nicht gesagt, daß der Körper des Herrn, unseres Gottes, uns konsubstantiell sei, aber er bekenne, daß uns die hl. Jungfrau konsubstantiell sei[44]. Im Folgenden zeigt Eutyches, daß er zwischen dem „Körper des Menschen" und dem „menschlichen Körper" unterscheidet; er sagte: „Bis zu diesem Augenblick habe ich diesen Ausdruck ‚konsubstantiell' nicht angewendet, denn ich erkenne an, daß der Körper Christi der Körper Gottes ist; den Körper Gottes habe ich nicht den Körper des Menschen nennen wollen, aber dieser Körper ist menschlich[45]." Auch fügt er ausdrükklich hinzu, daß er, indem er das Wort ‚konsubstantiell' brauche, nicht verneine, daß Christus Gottes Sohn sei.

Die Konzilsväter aber gaben sich nicht zufrieden und forderten ihn auf, seine beiden häretischen Antworten zu widerrufen: erstens, daß Jesus Christus uns nicht konsubstantiell sei, und zweitens, daß es nach der Union nur eine einzige Natur gäbe. - Eutyches widerrief jedoch nicht seine Antwort, sondern erklärte, er habe in der heiligen Schrift diese Lehre nicht gefunden, sie sei von den Vätern nicht gelehrt worden; und aus diesem Grunde verweigere er es, seine Antworten zu widerrufen. Anderenfalls müsse er annehmen, den Vätern zu schaden[46]. Er stützte sich dabei wiederum auf Cyrill von Alexandrien und auch auf Athanasios, denen gemäß es zwar zwei Naturen vor der Union gegeben habe, jedoch nach der Union und Inkarnation nur eine. Auf die Frage des Patricius Florentius, ob er zwei Naturen nach der Union bekenne, erwiderte ihm Eutyches, er möge die Schriften des hl. Athanasios lesen lassen, um daraus zu ersehen, daß bei Athanasios nichts darüber zu finden sei. Florentius aber erklärte einen jeden für nicht orthodox, der sich weigere, von zwei Naturen zu sprechen[47].

Auf dieses Gespräch hin war Eutyches des valentinischen und des apollinarischen Irrtums angeklagt worden[48]. Valentinus nämlich hatte gelehrt, daß Christus einen himmlischen Körper angenommen habe, durch den das Blut der Jungfrau gleichsam

---

[41] Ebd., II, 744.
[42] J. D. Mansi, II, 741.
[43] Ebd.
[44] Ebd.
[45] Ebd.
[46] Ebd., II, 745.
[47] J. D. Mansi, VI, 748.
[48] Ebd.

wie Wasser geflossen sei[49]. Und Apollinarius wurde vorgeworfen, er hätte dem Fleische Christi Konsubstantialität mit Gott zugeschrieben[50]. Die Tatsache, daß Eutyches nicht ohne weiteres zugab, daß Jesus-Christus seiner Mutter konsubstantiell gewesen sei, führte dazu, daß die Ankläger glaubten, er verneine die wahre Mutterschaft der Jungfrau Maria. Um den Verdacht zurückzuweisen, Monophysit zu sein, hat Eutyches mehrere Male die dem Valentinus und dem Apollinarius vorgeworfenen Irrtümer abgelehnt. Und im Hinblick auf die Anerkennung zweier Naturen vor der Vereinigung von Gottheit und Menschheit berief er sich auf Cyrill von Alexandrien, auf Athanasius, Gregor von Thaumaturgus, auf die Päpste Julius und Felix sowie auf alle Anhänger der Lehre von der einen Natur[51]. Aber gereizt durch die Zweideutigkeit und Widersprüchlichkeit seiner Antworten, verurteilten ihn die Väter der Synode[52]. Es wurde ihm vor allem vorgeworfen, zwei Naturen vor der Union und eine Natur nach der Union anzuerkennen, und außerdem zu behaupten, Jesus Christus sei uns nicht konsubstantiell gewesen[52]. - Papst Leo gewann den Eindruck, daß Eutyches unerfahren und unvorsichtig gewesen sei und weniger durch Böswilligkeit als durch Unwissenheit geirrt habe[53]. Aber doch las der Papst aus den Antworten des Eutyches heraus, daß es sich um einen Glauben an den himmlischen Ursprung des Körpers Christi und an die Verwandlung des WORTES in Fleisch handele und damit um den Glauben an den leidenden Gott[54]. Auch glaubte der Papst, Eutyches habe die Präexistenz der Seele Christi vor der Inkarnation gelehrt[55]. Papst Gelasius hingegen war der Ansicht, in der Behauptung ‚zwei Naturen vor der Union‘ die Idee des Nestorius zu erkennen. Und auch Theodoret hatte Eutyches falsch verstanden: er glaubte, Eutyches habe die Mutterschaft der Jungfrau Maria geleugnet und gelehrt, daß Gott das WORT Fleisch geworden sei, ohne der Veränderung unterworfen zu sein[56]. Offenbar hat er in seinem Dialog ‚Eranistes‘, wie wir annehmen dürfen, Eutyches im Auge gehabt, als er den monophysitischen Gesprächspartnern sagen läßt, nur die Gottheit sei nach der Union zurückgeblieben, während sich die Menschheit in der Gottheit aufgelöst habe so wie sich ein Tropfen im Wasser auflöse[57].

Die monophysitische Lehre ist nicht leicht durchschaubar, denn wir begegnen innerhalb dieser Lehre den verschiedensten Erklärungen für die Union der beiden Naturen in Christus. Sie betrifft die Christologie und damit auch die trinitarische Theologie. Die Bezeichnung ‚Monophysitismus‘ taucht zum ersten Mal nach dem

---

[49] P. G. XLI, 488.
[50] Einführung S. 1.
[51] P. L., LIV, 716.
[52] Ebd., LIV, 726 - 728, 743 - 748.
[53] P. L., LIV, 781, 783, 790, 802, 805, 928.
[54] Ebd., LIV, 787, 987, 1042, 1050, 1063, 1157.
[55] Ebd., LIV, 777.
[56] P. G., XCIV, 315 - 330.
[57] P. G., LXXXIII, 153, 157.

Konzil von Chalcedon auf und wird von da an allen Lehren gegeben, die die chalcedonensische Definition von einer Person mit zwei Naturen ablehnen. Die Chalcedonenser anathematisierten die Anhänger der Lehre von nur einer Natur (physis) und
nannten sie Monophysiten. Das Konzil von Chalcedon verkündete, daß Gott das
WORT, der einzige Sohn Gottes - von der Jungfrau Maria (im Hinblick auf seine Menschlichkeit) geboren -, aus zwei Naturen bestehe, welche ohne Verschmelzung, ohne
Veränderung, ohne Teilung und ohne Trennung ihm einwohnen[58]. Die Lehre des
Eutyches, der sogenannte ‚Eutychianismus‘, gehört in den Bereich des Monophysitismus. Durch diese Lehre wird die vollkommene Menschheit (Menschlichkeit)
in der Natur Christi bekämpft, indem geleugnet wird, daß Jesus Christus uns konsubstantiell gewesen sei. - Infolgedessen kann der Gottmensch nur in der Weise verstanden werden, daß ein Wandel der göttlichen Natur während der Inkarnation angenommen wird. - Dieser Prozeß des Wandels oder der Veränderung der Natur Christi
führt zu einer einzigen Natur.

Wie wir schon zeigten, lautet die Formel des reinen Eutychianismus: eine einzige
Person, eine einzige Natur in Christus nach der Vereinigung von Gottheit und
Menschheit. Diese Formel ist zum Ursprung einer Reihe von Sekten geworden. So
verdanken wir Nestorius eine genaue Überlieferung jener Lehre, die an das Verschwinden der Menschheit in der Gottheit glaubte: Gott, das WORT, sei nicht gekommen, um seine eigene Essenz zu verwandeln, sondern um unsere menschliche
Essenz zu seiner eigenen unwandelbaren Essenz zu erheben und sie in der Vereinigung mit seiner göttlichen Essenz anbetungswürdig zu machen. Das WORT habe die
menschliche Essenz seiner eigenen Essenz vereint, auf daß es eine einzige Essenz
und ein einziges Prosopon der einen einzigen Essenz gäbe. Die kleine Essenz der
Menschheit sei der großen Essenz der Gottheit vermischt und angeglichen worden;
ebenso wie die Dinge, die man ins Feuer werfe, der Essenz des Feuers ähnlich würden, habe die göttliche Natur die menschliche Natur verwandelt[59]. Diese Theorie
lehrt nicht die Inkarnation Gottes, sondern die Vergöttlichung der Menschheit[60]. Es
ist diejenige Lehre, die dazu geführt hat, Leiden und Tod der göttlichen Natur zuzu-
schreiben.

Eine andere Sekte vertritt die Lehre vom Verschwinden des WORTES in der
Menschheit und geht auf das falsch verstandene Wort des Apollinarius zurück: „Ver-
bum carro factum est[61].“ Diese Lehre war durch die erste Synode von Syrmion im
Jahre 351 verdammt worden: jeder, der die Behauptung, das Wort sei Fleisch gewor-

---

[58] P. G., VII, 108 - 118.
[59] F. Nau, Le livre d'Héraclide, S. 21.
[60] Ebd., S. 22.
[61] Ebd.

den, in dem Sinne verstand, daß sich das WORT in Fleisch verwandelt hatte, wurde verflucht[62].

Eine weitere, sich auf Eutyches berufende Sekte ist jene, die an die Vermischung von Menschheit und Gottheit glaubte: die göttliche und die menschliche Natur haben sich vermischt und bilden auf diese Weise eine Zusammensetzung, die weder reiner Gott noch reiner Mensch ist. - Auch diese Lehre hatte ihre Anhänger, wie der Streit zwischen Severus von Antiochien und Sergius dem Grammatiker bezeugt[63]. Severus bekämpft die Ansicht des Sergius, daß in Christus nur eine einzige Eigentümlichkeit auf Grund einer einzigen Essenz existiert habe. Severus ist überzeugt, daß die göttliche Eigentümlichkeit sich von der menschlichen Eigentümlichkeit unterscheidet. In diesen Zusammenhang gehört auch die Sekte der Niobiten. Sie geht auf den alexandrinischen Sophisten Stephan Niobe zurück, der um 570 lebte[64]. Die Niobiten verwarfen nicht nur die Lehre von den zwei Naturen, sondern sie duldeten es auch nicht, noch von Menschheit und Gottheit nach der Vereinigung zu sprechen[65].

Fernerhin begegnen wir einer Lehre, welche behauptet, daß sich die vollkommene Substanz des göttlichen WORTES mit den unvollkommenen Substanzen von Körper und Seele der Menschheit, – ohne sich zu vermischen –, zu einem Ganzen vereinigt und einen Gott-Menschen als neue vollkommene Substanz bildet. – Auch hierüber berichtet Nestorius[66].

Eine wiederum auf das falsch verstandene Apollinarius-Wort zurückzuführende Sekte ist die der ‚Syn-Ousiasten‘. Infolge der Nicht-Anerkennung der Gemeinsamkeit der Eigentümlichkeiten wurde ihre Lehre zur Häresie. Apollinarius hatte nur auf Grund seiner Überzeugung von der Gemeinsamkeit der Eigentümlichkeiten über die Einheit der Ousia in Christus sagen können, ohne sich der Häresie schuldig zu machen, daß das Fleisch an der Ousia Christi teilhabe. - Die Anhänger der syn-ousiastischen Lehre zählte man den Eutychianern zu im Hinblick darauf, daß Eutyches auch des apollinarischen Irrtums wegen verdammt worden war. Den Syn-Ousiasten wurden von orthodoxer Seite alle Folgen des wirklichen Monophysitismus zur Last gelegt[67]. Eine Überspitzung dieser Lehre finden wir bei den sogenannten ‚Aktisteten‘. Ihrer Lehre zufolge war der Körper Christi nicht nur unverweslich, sondern zugleich auch ungeschaffen. Dieser Behauptung wegen nannte man die Anhänger dieser Sekte ‚Aktisteten‘. Sie hatten sich von den Julianisten und den Gaianiten abge-

---

[62] E. Hahn, Bibliothek der Symbole und Glaubensregeln, Breslau 1897. S. 197 - 198. - P. L., Bd. X, Sp. 383.
[63] J. Lebon, S. 163, 538.; vgl. auch Kap. IV. des vorliegenden Buches.
[64] L. J. Tixeront, S. 117. - P. G., Bd. LXXXVI, Sp. 65.
[65] F. Nau, Le livre d' Héraclide, S. 6 - 7.
[66] Ebd.
[67] G. Voisin, S. 296.

spalten. (Die Julianisten waren die Anhänger Julians von Halikarnass, die Gaianiten diejenigen seines Schülers Gaianos[68].) Eine andere, sich auf Julian von Halikarnass beziehende Sekte, war die der ‚Aphtartodoketen‘. Sie leugneten die Konsubstantialität des Körpers Christi mit unserem Körper und glaubten an seine Unverweslichkeit, obwohl sie von der Leidensfähigkeit seines Körpers überzeugt waren. In dieser Leidensfähigkeit erblickten sie ein immerwährendes Wunder[69].

Daß die Anhänger dieser Lehre, die in ihrer Verneinung der Konsubstantialität des Körpers Christi mit dem der Menschheit eutychianisch war, glaubten, sich auf Julian von Halikarnass berufen zu können, weist darauf hin, daß die Frage offen bleibt, ob man die von Julian behauptete Konsubstantialität meint anerkennen zu können oder nicht[70]. Er selbst lehnte es ab, als Eutychianer angesehen zu werden. Julian bekennt sich zu der Urstandslehre der - durch des ersten Adams Sünde - gefallenen Menschheit. Der Sünde Lohn aber ist der Tod. Da Julian bei Christus, dem zweiten Adam, die Sündelosigkeit voraussetzt, glaubt er, daß Jesus-Christus von der Strafe des Todes befreit war. Diese Überzeugung führt Julian dazu, an die Verherrlichung des von der Jungfrau angenommenen Fleisches zu glauben. Und darauf geht es zurück, daß Julian lehrt, Christus sei nicht gezwungen gewesen, zu sterben um eigener Sünde willen, und darum habe er für uns freiwillig den Tod auf sich nehmen können. Für Julian war der Christus „aphtartos" derjenige Christus, der, - obwohl Julian ihn für uns konsubstantiell erklärte -, der vom Augenblick der Vereinigung an damit begann, das von der Jungfrau angenommene Fleisch zu verherrlichen. Dieser uns - nach Julian - vollkommen konsubstantielle Christus unterschied sich freilich insofern von uns, als er vor der Erbsünde bewahrt worden war. - Wohl vermochte er auf Grund seiner Natur zu leiden und zu sterben, doch war er im Hinblick auf Leiden und Sterben frei, weil er weder der Sünde noch der Strafe unterlag. Darum konnte er dem Erdulden seines Leidens und seines Todes den uns erlösenden Wert verleihen[71].

Darüber hinaus gab es noch eine Sekte, die an den himmlischen Ursprung des Fleisches glaubte. Zwar bejahten die Anhänger dieser Lehre die Wirklichkeit des Körpers Christi und glaubten daran, daß er eine einzige Ousia mit dem WORT bilde, doch verneinten sie zugleich die Konsubstantialität mit dem unseren. Sie waren überzeugt, daß Christi Körper außermenschlichen Ursprungs gewesen sei. Auf Grund ihrer Leugnung der Konsubstantialität mit dem menschlichen Körper, zählt man auch diese Sekte dem Eutychianismus zu[72]. Zu erwähnen sind auch zwei Sekten, die sich offenbar von jener Lehre ableiten, welche behauptet, die Gottheit verschwinde in der Menscheit. Es war jene Lehre, die durch die erste Synode von Syr-

---

[68] L. J. Tixeront, S. 116 - 117.
[69] R. Draguet, S. 263 - 266.
[70] Ebd.
[71] Ebd.
[72] Lebon, S. 24, 96 - 98.

mion im Jahre 351 verdammt wurde. - Die eine der von dieser Lehre abstammende
Sekte ist des Glaubens, daß das WORT seine eigene reine Substanz in Fleisch verwandelt habe[73]. Auch über diese Sekte, die an die Verwandlung der reinen Substanz des
WORTES in Fleisch glaubt, findet sich bei Nestorius eine genaue Beschreibung. Die
Anhänger dieser Theorie meinten, daß das WORT auf Grund seiner allmächtigen und
unendlichen Natur, habe alles tun können: Es habe seine reine Substanz in Fleisch
verwandeln können, Es habe in Wahrheit gelitten, gehungert, gedürstet und sei gekreuzigt worden.
So wie das lebendige Wasser auch dann noch Wasser bleibe, wenn es gefroren sei,
ebenso sei das WORT noch im menschlichen Zustand Gott geblieben[74]. Diejenigen,
die sich zu dieser Lehre bekannten, glaubten, daß wenn sich Gott einer menschlichen
Natur vereint hätte, er der Trinität eine fremde Essenz hinzugefügt haben würde[75].
Dieser Lehre zufolge gibt es nicht zwei Essenzen, sondern nur eine Essenz, denn die
göttliche Essenz ist zur Essenz des Fleisches geworden[76]. Die andere Sekte, die auf
die Lehre vom Verschwinden der Gottheit in der Menschheit zurückzuführen ist, behauptet, daß es sich um eine scheinbare Verwandlung der reinen Substanz Christi in
Fleisch handele. Diese Lehre von der scheinbaren Verwandlung in Fleisch hat den
Namen ‚Doketismus' erhalten[77]. Schließlich ist noch derjenigen Sekte zu gedenken,
deren Anhänger die Bezeichnung ‚Acephalen' erhielten. Dieser Name wurde jener
monophysitischen Gruppe gegeben, die sich von Petrus Mongus, dem Patriarchen
von Alexandrien, im Jahre 482 trennte, da sie das von ihm und von Acacius von Konstantinopel entworfene Glaubenssymbol ablehnte, das von Kaiser Zenon bestätigt
und als Einigungsedikt an alle Bischöfe des Orients geschickt worden war[78]. Sie
zogen es wegen der chalcedonfreundlichen Haltung dieses Ediktes vor, ohne ihr
Haupt Petrus Mongus, zu bleiben; hierauf geht der Name ‚akephalos' zurück[79].
Die Aufzählung der eutychianischen Sekten abschließend, können wir sagen, daß
es das besondere Merkmal ihrer Lehren ist, die Gemeinsamkeit der göttlichen und
der menschlichen Eigentümlichkeiten in Christus nicht anerkennen zu können, wodurch sie in den Bereich der Häresie verwiesen werden. - Diese monophysitischen
Arten, für die diese Lehre ungültig ist, haben dazu geführt, daß man alle Monophysi-

---

[73] Ebd., S. 496.
[74] F. Nau, Le livre d'Héraclide, S.8, 9, 11. - P. G., Bd. LXXVI, Sp. 1140. - Mansi, Bd. V, Sp.
      319 - 320.
[75] Ebd., S. 12, 13, 19. – Ahrens/Krüger, S. 269.
[76] F. Nau, Le livre d'Héraclide, S.11. - Sophronius schreibt: „Il n'y a pas deux essences, mais
      la même essence divine qui est devenue aussi l'essence de la chair; c'est pourquoi il n'y a
      qu'une essence."
[77] J. Lebon, S. 496.
[78] Vgl. Kap. VI
[79] P.G., Bd., LXXXII, Sp. 1230. – Diese – ursprünglich eutychianische – Sekte vereinigte
      sich späterhin mit den Severianern.

ten für Anhänger der häretischen Lehre vom leidenden Gott gehalten hat und über-
sah, daß diejenigen, die der Lehre des Severus von Antiochien anhingen, sich infolge
ihrer Anerkennung der Gemeinsamkeit der Eigentümlichkeiten in Christus zu der
nicht-häretischen Lehre vom leidenden Gott bekannten.

IV.
Severianismus

Severus, der im Jahre 512 zum Patriarchen von Antiochien geweiht worden war[1], stand in der Tradition des Cyrillus von Alexandrien und damit zugleich in derjenigen des Apollinarius[2]. Cyrillus hatte sich für die apollinarische Lehre eingesetzt und anerkannte die Gemeinsamkeit beider Eigentümlichkeiten nicht nur im Gott-Menschen, sondern glaubte auch die göttlichen Eigentümlichkeiten auf die Menschheit Christi beziehen zu können sowie die menschlichen Eigentümlichkeiten auf die Gottheit Christi[3]. Severus war ein strenger Asket, ein Mann von hoher Bildung, vertraut mit der biblischen Literatur, ein ausgezeichneter Schriftsteller, der dank seiner Werke zum Haupt derjenigen Lehre werden sollte, die als nicht-häretischer Monophysitismus erkannt worden ist[4]. Er stritt ebenso gegen die Anhänger des Konzils von Chalcedon, denen er Dyophysitismus vorwarf[5], wie gegen die Eutychianer[6] und gegen die Aphtartodoketen[7]. – Für die Lehre Cyrills jedoch, dem er besondere Verehrung zollte, setzte er sich in der letzten seiner anti-julianischen Abhandlungen ein, in „Cyrill oder der Philaleth[8]".

Zur Zeit des Apollinarius und der des Cyrillus war die Terminologie hinsichtlich des Gebrauchs der Worte ‚physis', ‚hypostasis' und ‚prosopon' noch nicht festgelegt. Darauf geht es zurück, daß sowohl Apollinarius als auch Cyrillus das Wort ‚physis' im Sinne von ‚hypostasis' und ‚prosopon' brauchten. Daß jedoch Severus in seiner Inkarnations-Theologie ‚physis' noch im Sinne von ‚hypostasis' und ‚prosopon' braucht, ist unberechtigt, weil durch das Konzil von Chalcedon die Terminologie bestimmt worden war. Da er meinte, in den Anhängern des Chalcedonense Nestorianer zu sehen, glaubte er, ein Recht zu haben, Papst Leo und das Konzil von Chalcedon verurteilen

---

1
  M.A. Kugener (Hrsg.), Patrologia Orient., II, 3.
2
  M.Draeseke, Apollinarius von Laodicea. – A. Rehrmann, Die Christologie des hl. Cyrillus von Alexandrien.
3
  P.G., Bd. LXXV, Sp. 1244, De incarnatione Unigeniti.
4
  L. Duchesne, L'Eglise, S. 99.
5
  Corpus scriptorum orientalum christianorum, hrsg. v. Lebon, Paris 1929 (Gegen Johannes den Grammatiker).
6
  J. Lebon, S 163., Manuskript des Britischen Museums, Add. 17154 (gegen Sergius den Grammatiker).
7
  R. Draguet, S. 25, 31, 45, 47. – Vatic. 140 (gegen Julian von Halikarnass).
8
  Ebd., S. 50. – Vatic. 140.

zu dürfen und sich zu weigern, die chalcedonische Terminologie anzunehmen, nach welcher Christus bejaht wurde als eine Person mit zwei Naturen, einer göttlichen und einer menschlichen Natur[9]. Severus sah nur die Dualität, obwohl Papst Leo seine Entscheidung in Übereinstimmung mit der Heiligen Schrift getroffen hatte und die Einheit Christi anerkannte. –

Wir bringen im Folgenden einige der wichtigsten Formeln des severianischen Monophysitismus, deren Übertragung in die chalcedonensische Terminologie J. Lebon zu danken ist. Wenn wir die in der Inkarnations-Theologie übliche synonyme Bedeutung von physis, hypostasis, prosopon beachten, dann sind die christologischen Formeln der severianischen Monophysiten leicht zu erkennen. Eine ihrer wichtigsten Formeln ist: ‚Mia physis tou Logou sesarkomene'. – Verstehen wir sie in severianischem Sinn, so bedeutet sie: ‚Una hypostasis vel persona Dei Verbi incarnata'. – In dieser Übertragung entspricht die Formel der orthodoxen Auffassung. Würde hier die Bezeichnung ‚hypostasis' hinzugefügt, so hieße dies: ‚zwei Hypostasen'. ‚Zwei Hypostasen' aber entspräche dem Irrtum, den die Monophysiten den Nestorianern vorwarfen. Zu weiteren wichtigen Formeln gehören: ‚Henosis physike, henosis kata physin, henosis kath' hypostasin'. Diese Termini sind vermöge der Gleichsetzung von ‚physis' und ‚hypostasis' synonym und wollen nichts anderes zum Ausdruck bringen als daß sich die Union von Gottheit und Menschheit in der Einheit vollendet. Ihrem theologischen Sinn nach drücken sie die sogenannte ‚hypostatische Union' aus und haben somit nichts Heterodoxes an sich[10].

Zu Mißverständnissen haben die folgenden severianischen Formeln geführt: ‚Henosis kata synthesin; mia physis, mia hypostasis synthetos'. Diese Formeln können in der Weise verstanden werden, als liege hier eine Mischung oder Verschmelzung der beiden Naturen, der göttlichen und der menschlichen Natur, vor. Gemeint ist jedoch, daß sich Gottheit und Menschheit nebeneinander, – weder vermischt noch verschmolzen –, in einer Vereinigung befinden, die sich in der Person des WORTES vollzieht[11]. Übersieht man es, daß die severianischen Monophysiten ‚physis' als ‚hypostasis' verstanden, sobald es sich um die Inkarnations-Theologie handelte, dann frei-

---

[9] Mansi, Bd. VII, Sp. 108-118. - In der chalcedonischen Entscheidung heißt es: „Wir bekennen ein und denselben Jesus-Christus, den einzigen SOHN, den wir in zwei Naturen (én dýo phýsesin) anerkennen, ohne Vermischung, ohne Wandlung, ohne Teilung oder Trennung: denn der Unterschied zwischen den beiden Naturen ist keineswegs aufgehoben, ganz im Gegenteil, die Eigentümlichkeiten jeder Natur sind bewahrt und subsistent in einer einzigen Person (prósopon), einer einzigen Hypostase (hypóstasis); wir bekennen nicht einen in zwei Personen entzweiten oder geteilten SOHN, sondern ein und denselben SOHN, den einzigen SOHN, und das WORT Gottes, unseren Herrn Jesus-Christus." – Das Chalcedonense anerkennt Maria als die ‚Gottesgebärerin': Jesus-Christus ist „um unseretwillen in der Zeit geboren von Maria, der Jungfrau und der Mutter Gottes".

[10] J. Lebon, Le monophysitisme sévérien, S. 287 - 289.

[11] Ebd., S. 292.

lich erwecken sie den Eindruck von Eutychianern. Behält man jedoch die Identität von ‚physis' und ‚hypostasis' im Auge, so verlieren die Termini „zwei ‚physeis' vor der Union; eine ‚physis' nach der Union; zwei ‚physeis' nach der Union" den Charakter des Häretischen. Wohl hat Severus selbst gesagt: ‚Dyo physeis meta ten henosin', doch fügte er hinzu ‚en theoria'[12]. – Diese Lehre führt dahin, in Christus alles zu vereinigen, was er in seiner Gottheit und seiner Menschheit besitzt, d.h. sowohl die ‚energeia' (den Impuls des ‚agens' dem Ziel entgegen) als auch die ‚thelesis' (den Willen, verstanden als Entschließung der Person, zu handeln[13].)

Auf Grund dieser Überzeugung sind die severianischen Monophysiten Monergisten und Monotheleten. Sie betonen, daß, wenn es nur einen Eigentümer gebe, es auch nur eine Eigentümlichkeit geben könne. Außerdem sind sie davon überzeugt, daß es nur einen Handelnden gebe, der sowohl seiner Gottheit nach als auch seiner Menschheit nach handele. – Demzufolge aber gäbe es nur eine ‚energeia' in ihm. Wollten sie von Christus sagen, er habe zwei ‚energeiai', so bedeutete dies, er habe zwei ‚hypostaseis'. - So wie es im WORT dieser Lehre nach nur einen Handelnden gibt, gibt es auch nur einen Wollenden in ihm, weshalb nur ein Wille (thelesis) in ihm wirksam ist. Wollten sie zwei Willen annehmen, so hieße dies, den Willen zu verdoppeln, was sie als ‚nestorianisch' ablehnen[14]. Trotzdem aber hält der severianische Monophysit wesentliche Unterscheidungen aufrecht, er anerkennt, daß die Gottheit und die Menschheit Christi nicht nach der Union verschmelzen und sich nicht vermischen[15]. Severus selbst sieht in der ‚energeia' Christi eine Kraft, deren Wirkungen – je nachdem – von göttlicher oder von menschlicher Art sind[16]. So spricht er von der ‚energeia theandrike' und von der ‚energia synthetos'[17]. Ebenso wird die Einheit des Willens ausgedrückt: ‚thelesis' wird nur darum gesagt, weil der Wille teil hat an dem einen Subjekt ‚Gott und Mensch'[18]. Die Ziele des Willens können verschieden sein, da es einen göttlichen ‚thelema' und einen menschlichen ‚thelema' gibt. So sagt Severus, daß Christus das Leiden auf menschliche Weise abgelehnt habe, als er den VATER bat, den Kelch an ihm vorübergehen zu lassen; doch habe er auf göttliche Weise das Leiden auf sich genommen mit dem Wort: „Der Geist ist willig[19]."

Obwohl der severianische Monophysitismus vom chalcedonischen Standpunkt aus heteredox erscheint, so ist er doch vom christologischen Standpunkt aus orthodox zu nennen. Im Grunde genommen lag es nur an der Terminologie, durch die sich die Severianer von den Orthodoxen unterschieden. Sobald es um die Wahrheit selber

---

[12] Ebd., S. 345.
[13] Ebd., S. 442.
[14] Ebd., S. 444.
[15] Ebd., S. 351.
[16] Ebd., S. 451.
[17] Ebd., S. 451.
[18] Ebd., S. 461.
[19] Ebd.

ging, stimmten beide überein: sie bekannten sich zu ein und demselben inkarnierten WORT, zum wahren Gott und zum wahren Menschen, der konsubstantiell sowohl dem VATER als auch uns ist. Beide verwarfen die Lehre von Nestorius und diejenige von Eutyches. Der Unterschied zwischen der orthodoxen Lehre und der severianischen lag somit vor allem in der wissenschaftlichen Darlegung der Christologie. Daß die Anhänger dieser monophysitischen Lehre nicht von ihrer Terminologie lassen wollten und sich weigerten, die chalcedonische Terminologie anzunehmen, hat zu dem großen Schisma geführt, das von 484 bis 519 dauerte[20]. Dieses Schisma war es, das den Anlaß zu drei verschiedenen orientalischen kirchlichen Gruppen gab: zur armenischen gregorianischen Gruppe, zur syrischen jakobitischen und zur abessinischen koptischen[21].

Die Anhänger dieser drei frühen Abspaltungen bekannten sich zu dem severianischen Monophysitismus. Als sich die monophysitischen Kirchen zur Zeit ihrer Entstehung hierarchisch in verschiedenen Gruppen organisierten, erklärten sie sich alle gegen den Eutychianismus. Die armenische Kirche, die schon im Jahre 374 kanonische Autonomie genossen hatte, verdammte die eutychianische Lehre bei der großen Synode von Vagharchapata vom Jahre 491[22]. Und nachdem es dem Severus-Schüler Johannes Baradeus gelungen war im Jahr 543 den Sitz von Antiochien mit einem dissendenten Prälaten zu besetzen, war die syrische monophysitische Kirche konstituiert[23]. Auch in Ägypten trug die severianische Lehre den Sieg über die zahlreichen Sekten davon. Diese Kirchen zelebrierten den Kult der vor-chalcedonensichen Väter weiter. Ihr Glaube tritt uns in ihren Glaubensbekenntnissen und Dekreten ihrer besonderen Konzilien entgegen, in ihren liturgischen Büchern und Schriften ihrer früheren wichtigsten Theologen. Größte Autorität genießt Cyrill von Alexandrien. Auch Proklos von Konstantinopel wird anerkannt, der das Dogma der beiden Naturen in seinem Sendschreiben an die Armenier klar gestellt hat. Als Leuchte ihrer Kirche aber betrachten sie alle Severus von Antiochien[24]. In den Glaubensbekenntnissen dieser Kirchen verbirgt sich hinter der monophysitischen Terminologie eine orthodoxe Christologie. So wird im Glaubensbekenntnis des syrisch-armenischen Konzils von Manazgherd (719-726) bekannt, daß das WORT als ‚Gott' Wunder geschaffen habe, während Es als ‚Mensch' menschliche Leiden ertrug[25].

Freilich bemühten sich die Eutychianer, auch in diese monophysitischen Kirchen einzudringen, was ihnen auf Grund der zweideutigen Terminologie teilweise gelang. Im Ganzen aber sind die monophysitischen Kirchen dem severianischen Monophy-

[20] E. Schwartz, Publizist. Sammlungen.
[21] R. Devreesse, Le patriarcat d'Antioche, S. 119 - 123.
[22] Fr. Tournebize, S. 486- u. S. 90.
[23] R. Devreesse, Le patriarcat d'Antioche, S. 77 - 94.
[24] Fr. Tournebize, S. 246 - 248.
[25] Ebd., S. 388 - 400.

sitismus treu geblieben[26]. Das zeigt sich darin, in welcher Weise sie die Hinzufügung zum Dreifaltigkeits-Hymnus verstanden. So lesen wir bei Abu Raitha von Trakit: „Wenn die Nestorianer und die Melchiten von uns den Hymnus hören, in welchem wir dreimal sagen: Heiliger Gott, heiliger Starker, heiliger Unsterblicher, der du gekreuzigst worden bist für uns, erbarme dich unser, – erheben sie ihre Stimmen gegen uns und machen uns, den Anhängern der jakobitischen Sekte, heftige Vorwürfe. Aber sie tun das unverdientermaßen, indem sie annehmen, daß ‚Heiliger Gott' sich auf den VATER beziehe, ‚Heiliger Starker' auf den SOHN, ‚Heiliger Unsterblicher' auf den Hl. Geist. Wenn wir dieses Wort wahrhaft gesagt haben und mit der Erinnerung an das Kreuz schließen, glauben sie, daß wir jene letzten Worte auf die heilige Trinität beziehen. – Doch verhält sich dies nicht so, wie sie meinen, und ihr Vorwurf gegen uns ist unwahr. Die Deutung dieses Hymnus ist folgende: Heiliger Gott, der du Fleisch geworden bist um unseretwillen ohne Veränderung, verbleibend im Stande deiner Gottheit: Heiliger Starker, der du gezeigt hast, wie groß deine Macht ist, indem du dich der Schwäche ausgeliefert hast; Heiliger Unsterblicher, der du um unseretwillen gekreuzigt worden bist, der du den Tod freiwillig auf dich genommen hast und ihn am Kreuz mit deinem Leib ertragen hast: dem Scheine nach tot, stirbst du doch nicht, erbarme dich unser.

Deshalb erwidern wir darauf, was jene Meinung, die sie über uns haben, betrifft, daß wir eine solche Gotteslästerung nicht glauben und auch nicht daran denken, ihr zuzuneigen. – Wahrhaftig, in diesem Hymnus ist eine der drei göttlichen Personen gemeint, nämlich das Fleisch gewordene Gottes-WORT, das für uns Mensch geworden ist ohne Veränderung seiner Gottheit sowie ohne Teilung dessen, der um unseretwillen gekreuzigt worden ist[27]."

Und in der koptischen Liturgie des hl. Gregor heißt es: „Christus ist vom heiligen Geist inkarniert worden und aus unserer ehrwürdigsten, unbefleckten Herrin, der Gottesgebärerin und immerwährenden Jungfrau Maria vollkommener Mensch geworden, nicht durch Vertauschung die Menschheit verändernd, sondern sie sich einend gemäß der Hypostase in unerklärlicher Weise, ohne Veränderung und Verschmelzung; diese Menschheit hatte eine rationale Seele und war mit Intellekt begabt. – So bist auch du aus ihr hervorgegangen als Gott, der Mensch geworden ist, konsubstantiell dem VATER – der Gottheit nach, und konsubstantiell uns – der Menschheit nach; weder zwei Personen noch zwei Formen hast du, noch wirst du in zwei Naturen erkannt, sondern als ein Gott, ein Herr: eine Substanz, ein Herrscher, eine Monarchie, eine Wirkweise, eine Hypostase, ein Wille, eine Natur des inkarnieren und angebeteten Gottes-WORTES[28]."

---

[5] R. Devreesse, Le patriarcat d'Antioche, S. 93.
[7] E. Renaudot, Bd. 1, S. 210 -211.
[8] Ebd., Bd. 1, S. 106.

Auch die Armenier beziehen den Dreifaltigkeits-Hymnus auf das inkarnierte WORT. Hören wir, was Johannes Oznetzi sagt: „Wie es mir zu verstehen erlaubt war, deuteten alle Visionen der prophetischen Weissagungen das Amt des SOHNES voraus. Und es gibt einen der Trinität, den Jesaias auf dem Thron der Herrlichkeit hat sitzen sehen, Ihn umstanden die Seraphim und stimmten jenen geheimnisvollen Gesang an. – Deshalb singen auch wir, indem wir um so vertrauensvoller darauf blicken, ihren geheimnisvollen Gesang und sagen, indem wir ihn wahrhaft wieder aufnehmen: Ewiger Gott, am Ende der Zeit wolltest du den Geschöpfen ähnlich werden; stark bist du, der du unsere Schwäche auf dich genommen hast; unsterbliche Natur, der es gefiel, den Tod am Kreuz um unseretwillen zu erleiden; erbarme dich unser um solch unendlicher Güte willen[29]."

Wir sehen also, daß die monophysitischen Kirchen von dem häretisch-theopaschitischen Irrtum frei sind, der die Hinzufügung zum Dreifaltigkeits-Hymnus auf die Trinität bezieht. Sie alle deuten diese Hinzufügung auf orthodoxe Weise, indem sie das Leiden und den Tod dem inkarnierten WORT zuschreiben.

[29] Domini Johannis philosophii ozniensis, Opera, Venedig 1834. S. 201.

V.

Der Mabbogienser

Philoxenus, der im Jahre 485 zum Patriarchen von Hierapolis-Mabbog eingesetzt worden war, spielte eine wesentliche Rolle im Hinblick auf den Einsatz „Unus ex Trinitate crucifixus est"[1]. Er stammte aus Persien, seine Geburtsstätte war Tahel, das sich in der Provinz Bet-Garmai, östlich vom Tigris und südlich von Adiabene, befand[12]. – Über den Zeitpunkt seiner Geburt liegen keine genauen Angaben vor, die Familie gehörte aller Wahrscheinlichkeit nach der aramäischen Gemeinschaft an, die schon seit langer Zeit den christlichen Glauben angenommen hatte[3]. Was seinen Namen anlangt, so ist er unter „Xenais" und unter „Philoxenus" bekannt, je nachdem, ob man ihm in einem griechischen[4] oder in einem syrischen Text begegnet[5]. Offenbar ist „Philoxenus" das griechische Äquivalent für das syrische Wort „Aksenaya"[6]. Ebensowenig, wie uns sein Geburtsjahr bekannt ist, wissen wir, ob er getauft wurde; doch erklärt Petrus Fullo, die bischöfliche Würde, die Philoxen erhalten habe, ersetze den Mangel einer Taufe[7]. Gegen den Verdacht, nicht getauft zu sein, spricht jedoch Philoxens – für Kaiser Zenon geschriebenes – Glaubensbekenntnis, in welchem er sagt, er sei der christlichen Ordnung nach getauft. Auch weist Assemani darauf hin, daß, wenn Philoxenus Heide gewesen wäre, ihn wohl kaum die Schule der Perser aufgenommen hätte[8]. – Die auf uns überkommenen Schriften Philoxens deuten darauf hin, daß er eine asketische Ausbildung erhalten hat. Dieser Eindruck wird noch verstärkt, wenn man seiner zahlreichen Beziehungen zu verschiedenen Klöstern gedenkt, wovon zwei encyclicae an Mönche des Orients zeugen[9]. Er stand nicht nur dem großen Kloster von Teleda[10] nahe, sondern - seit den Streitigkeiten wegen des

---

[1]   A. de Halleux, Philoxène de Mabbog. Obwohl Philoxenus 485 Patriarch wurde, haben wir doch die Lehre des Severus vorausgenommen, um ‚Nestorianismus‘, ‚Eutychianismus‘ und ‚Severianismus‘ geschlossen hintereinander bringen zu können.

[2]   J.S. Assemani, Biblioth. orient., Bd. II, S. 38.

[3]   A. Vaschalde, S. 175.

[4]   J.D. Mansi, Theodorus Lector, XIII, 180.

[5]   E. Miller, S. 402.

[6]   Ebd.

[7]   L.S. Tillemont, Bd. XVI, S. 677.

[8]   J.S. Assemani, Biblioth. orient., II, 34.

[9]   S.E. Assemani / J.S. Assemani, Biblioth. apostol., Bd. III, S. 216.

[10]   J.S. Assemani, Biblioth. orient., II, 37 -38.

Dreifaltigkeits-Hymnus − auch fern gelegenen Klöstern im Nordosten, denen von Bet-Gogal und von Amid[11]. Die syrischen Klöster von Mar-'Aquiba und von Mar-Bas[12] sowie einige palästinensische Klöster halfen ihm bei seinem Kampf gegen Flavian von Antiochien[13].

Die Vermutung liegt nahe, daß Philoxenus seine asketische Ausbildung an der persischen Schule erhielt, an der er Theologie studierte, denn die dort vorgeschriebene Ordnung zeugt von mönchischer Strenge[14]. Um jene Zeit befanden sich die edessenischen Christen schon in einer Spannung, die zum Schisma zwischen den „Theodorianern" und den „Cyrillianern" führen sollte[15]. Eine Scheidung, deren Wurzeln bis in die Zeit der arianischen und apollinaristischen Streitigkeiten zurückreichen. Doch wurde die religiöse Lage in Edessa erst in dem Augenblick beachtet, als sich der Widerhall der Streitigkeiten im ganzen Orient auswirkte nach dem Konzil von Ephesus im Jahre 431[16]. Die beiden Richtungen klagten sich gegenseitig der Häresie an: die Theodorianer sahen in den Cyrillianern ‚Apollinaristen' und ‚Theopaschiten'[17], während die Cyrillianer in den Theodorianern ‚Nestorianer' und ‚Adoptianisten' erblickten[18]. Die alexandrinisch-cyrillische Christologie und die antiochenisch-theodorianische bekämpften sich, ohne einen Weg zueinander finden zu können. Der sich im syrischen Mesopotamien verbreitende Cyrillianismus, dessen besonderes Merkmal die Lehre vom Leiden und vom Tode Gottes war, ist in Edessa durch den heiligen Ephraem bekannt geworden[19]. Den Anhängern dieser Lehre erschien der Dyophysitismus der Theodorianer als rationale Theologie, die den Glauben aufzulösen drohte[20]. Daß Philoxenus ursprünglich Nestorianer war, geht daraus hervor, daß er selbst von seinem alten Irrtum spricht[21] und erklärt, er habe durch seine Bekehrung die christliche Lehre gefunden[22]. Den Nestorianern sprach er es ab, wahrhaft christlich zu sein, denn er meinte in allen Dyophysiten Verneiner der Gottheit Christi zu sehen[23]. Philoxenus hat seine Entscheidung für die apollinarisch - cyrillische Christo-

---

[11] F. Nau, Littérature canonique, S. 7.
[12] Ahrens / Krüger, S. 130.
[13] A. de Halleux, Lettre dogmatique, Bd. I, S. 33 - 39 u. S. 45 - 61.
[14] I.B. Chabot, S. 31 - 42.
[15] R. Devreesse, Essai sur Théodore de Mopsueste, S. 126 - 130.
[16] Ebd.
[17] R. Devreesse, Le patriarchat d'Antioche, S. 52.
[18] Akten der Ephes. Synode, S. 42.
[19] A. v. Harnack, Lehrbuch der Dogmengeschichte, Tübingen 1931 - 1932. S. 206 - 207.
[20] Akten der Ephes. Synode, S. 42 - 446.
[21] F. Nau, Notice inédite sur Philoxène, évêque de Maboug, in: Revue de l'Orient chrétien, Bd. VIII, S. 630 - 633, 1903.
[22] Ebd.
[23] J.S. Assemani, Biblioth. orient., II, 38 - 45.

logie niemals bereut[24]. Nachdem er seine Lehrer und Mitschüler verlassen hatte, wandte er sich dem nunmehr monophysitischen Antiochien zu, wo er von Petrus Fullo, dem damaligen antiochenischen Patriarchen, in die Gemeinde aufgenommen wurde[25]. Der genaue Zeitpunkt ist nicht bekannt, entweder muß dies während der ersten Periode des Fulloschen Episkopats gewesen sein (um 470) oder während der Periode der Macht des Basiliskos (um 475)[26].

Philoxenus spielte in dem Streit um den Dreifaltigkeits-Hymnus in Antiochien eine große Rolle. Hier fand er die Möglichkeit, sich für die monophysitische Lehre voller Eifer einzusetzen, was ihm das Vertrauen von Petrus Fullo eintrug, zugleich aber auch das Mißtrauen der Orthodoxen, sodaß Calandion, sobald er Patriarch von Antiochen war (482 - 484), ihn zwang, diese Gegend zu verlassen[27]. Wahrscheinlich ist dieses der Zeitpunkt, als Philoxenus Kaiser Zenon sein Glaubensbekenntnis sandte[28]. Da ihn der Kaiser einer Antwort würdigte, begab er sich nach Konstantinopel als Überbringer einer mönchischen Bittschrift und als Ankläger Calandions[29], auf dessen Weigerung er hinwies, das Einigungs-Edikt zu unterschreiben. Der Augenblick dieser Anklage konnte nicht glücklicher gewählt sein, da Zenon ohnehin dieser Weigerung wegen gereizt war: Calandion wurde abgesetzt[30]. Wiederum erhielt Petrus Fullo das antiochenische Patriarchat und verhalf Philoxenus zum Bischofssitz von Hierapolis-Mabbog. Petrus Fullo selbst weihte ihn zum Bischof[31]. Wie aus Philoxens Brief an die Mönche von Senun hervorgeht, fand diese Weihe im Jahre 485 statt[32].

Die Stadt Hierapolis-Mabbog war im Grunde aramäisch geblieben und nur wenig vom Hellenismus beeinflußt worden, weshalb sich ihr Bischofssitz besonders gut für einen Geistlichen eignete, der syrischer Herkunft war. Mabbog lag etwa einhundertund sechzig Kilometer nordöstlich von Antiochien, und etwa zwanzig westlich vom Euphrat an der Straße, die Babylon mit dem Mittelmeer verband[33]. Einstmals war dies der Ort des Kultzentrums der Atargatis gewesen, der syrischen Göttin der Fruchtbarkeit, der Dea Syra. Und darauf ging es zurück, daß diese Stadt seit der hellenistischen Periode den Beinamen Hierapolis (heilige Stadt) trug[34].

Der alte Glaube mit seinen besonderen Riten hatte sich noch lange Zeit durchgesetzt, sodaß selbst im fünften Jahrhundert die Heiden eine beträchtliche Partei dieser

---

[24] P. Martin, Lettres de Jacques de Saroug, S. 221.
[25] E. Schwartz, Publ. Samm., S. 182 - 183, 192, 209 - 211.
[26] Ebd.
[27] Ebd.
[28] J. Lebon, Le monophysitisme sévérien, S. 112.
[29] F.J. Hammilton / E.W. Brooks, S. 179.
[30] E.Schwartz, Publ. Samm., S. 209.
[31] Ebd.
[32] J.S. Assemani, Biblioth. orient., II, 38.
[33] G. Goossens, S. 105, 151 - 154.
[34] Ebd., S. 88 - 99.

Stadt bildeten[35]. Philoxenus jedoch gelang es, zwei Drittel der Bevölkerung zu taufen[36]. So kam es, daß Hierapolis, das einstige Zentrum des heidnischen Pilgertums, zum Zentrum des christlichen Pilgertums wurde[37]. Zugleich war es die administrative, militärische und religiöse Hauptstadt der Provinz des Euphrat - Gebietes, die von der Diözese des Orients abhing[38]. Die Feindschaft gegen das sassanidische Kaiserreich hatte diese Grenzstadt zum großen Hauptquartier und zum Mobilisierungsdepot der römischen Armee gemacht[39].

Was die Kirche von Hierapolis - Mabbog anlangt, so war sie in die christologischen Streitigkeiten seit einem halben Jahrhundert hineingezogen. Und als Philoxenus sein Patriarchat antrat, triumphierte dort der Nestorianismus[40].

Die Jahre von 485 bis 498 verliefen ruhig, das Jahr 499 aber brachte eine Veränderung in sein Leben durch Flavian, den neuen Patriarchen von Antiochien. Philoxenus glaubte von Flavian fordern zu können, das Anathema über Nestorius anzuerkennen, die Anathematismen Cyrills zu bestätigen, sowie das Einigungs - Edikt und die Hinzufügung zum dreifachen Sanctus anzunehmen. Flavian ging jedoch auf keine seiner Forderungen ein. – Deshalb begab sich Philoxenus nach Konstantinopel, wo er vor der permanenten Synode seine Anschuldigungen gegen Flavian vorbrachte. Da Kaiser Anastasios dem Monophysitismus freundlich gesonnen war, hoffte Philoxenus auf Erfolg. Doch hatte er nicht mit der Macht des orthodoxen Patriarchen von Konstantinopel gerechnet: Makedonios und seine chalcedonensischen Anhänger unterstützten Flavian[41]. Philoxenus hoffte aufs Neue, Flavian stürzen zu können, nachdem Makedonios abgesetzt worden war. Aber auch dieses Mal gelang es ihm nicht, da sich Flavian unerwarteterweise entschloß, das Einigungs - Edikt zu unterschreiben[42]. Er kehrte im Triumph nach Antiochien zurück, und eine von Philoxenus vorbereitete Demonstration schlug fehl. Trotzdem sollte Philoxenus noch den Sturz seines Gegners erleben, denn Flavian wurde auf Grund von Aussagen einiger konstantinopolitanischer Mönche ins Exil geschickt[43].

Von den zahlreichen dogmatischen Abhandlungen Philoxens sind uns die beiden wichtigsten vollständig erhalten geblieben, sowohl die von Assemani „De uno ex Trinitate incarnato et passo" (Dissertationes decem)[44] benannte Abhandlung als auch

---

35 Ebd., S. 147.
36 Ebd.
37 Ebd., S. 175.
38 Ebd., S. 145 - 146.
39 Ebd., S. 148.
40 O. Bardenhewer, Bd. IV, S. 250 - 252.
41 L. Duchesne, Histoire ancienne, Bd. III, S. 240.
42 E. Honigmann, S. 12.
43 E. Schwartz, Publ. Samm., S. 246.
44 J.S. Assemani, Biblioth. orient., II, 27.

die von ihm „De Trinitate et Incarnatione" (Tractatus res) betitelte[45]. Weiterhin begegnen wir einer Reihe von Schriften über die Menschwerdung Christi[46]. Philoxenus stand wie Severus in der Tradition von Apollinarius und Cyrillus; er glaubte wie sie an die Gemeinsamkeit der göttlichen und der menschlichen Eigentümlichkeiten in Christus. Hatte Apollinarius gegen die ersten großen Dyophysiten, gegen Diodor von Tarsus und Theodor von Mopsuesta, diese Lehre eingesetzt[47], Cyrillus gegen Nestorius[48], so setzt sie Severus gegen den Dyophysitismus der Chalcedonenser ein[49], und Philoxenus gegen die Nestorianer. Wie Apollinarius, Cyrillus und Severus sieht er in Maria die Mutter Gottes; er läßt ihr den Namen „Gottesgebärerin" zukommen und rechtfertigt sie den Nestorianern gegenüber[50]. Im Jahre 431 war die Bezeichnung „Gottesgebärerin" auch durch das Konzil von Ephesus anerkannt worden[51]. Seine Überzeugung von der Gemeinsamkeit der göttlichen und der menschlichen Eigentümlichkeiten in Christus sowie von der Berechtigung ihrer wechselweisen Anwendung erlaubt es Philoxenus, – ohne der Häresie schuldig zu werden –, dieselben sich scheinbar widersprechenden Behauptungen aufzustellen, wie wir sie bei Apollinarius, Cyrillus und Severus finden. Wohl bezeugt er wie sie, daß ein Gott gelitten habe und für uns gestorben sei; und doch spricht auch er der Gottheit weder Leiden noch Tod zu: „Gott hat nicht gelitten (soweit er Gott ist)[52]". Wir erinnern uns, daß Apollinarius geäußert hatte, Gott habe nicht der Gottheit nach gelitten, sondern dem Fleische nach[53], das Wort sei im Hinblick auf seine Gottheit nicht - leidensfähig und unsterblich[54]. So sagte auch Cyrillus, daß die Gottheit nicht gelitten habe und das Wort im Leiden nicht - leidensfähig war[55]. Und Severus schreibt: „Emanuel hat, soweit er Gott ist, dem Scheine nach gelitten, aber soweit er Mensch ist, in Wirklichkeit gelitten[56].

Für Philoxenus bedeutete es keine Schwierigkeit, sich zu dem Wort „Unus ex Trinitate crucifixus est" zu bekennen, ohne zum Häretiker zu werden. Die Aufnahme

---

[45]   S.E. Assemani / J.S. Assemani, Biblioth. apostol., III, 217.

[46]   A. de Halleux, Philoxene de Mabbog, S. 113.

[47]   Vgl. Einführung, Anm. 2.

[48]   P.G., Bd. LXXXVI, Sp. 44, 73, 209; Bd. LXXVII, Sp. 196, 232, 244.

[49]   Corpus scriptorum orientalum christianorum, Hrsg. v. J. Lebon, Paris 1929.

[50]   E.A.W. Budge, l.c., II, CXXXV: „Wenn die Jungfrau Gottesgebärerin ist, so ist derjenige, der geboren ist, Gott. Derjenige aber, der geboren ist von der Jungfrau, wer ist er? – Er ist Jesus-Christus! Wenn Christus von der Jungfrau geboren ist, und wenn die Jungfrau Gottesgebärerin ist, so ist Jesus-Christus Gott, nicht aber ein Mensch, dem Gott eingewohnt hat". (Philoxenus). Cyrillus, P. G., Bd. LXXV, Sp. 1244; Severus, S. 18.

[51]   E. Schwartz, Neue Aktenstücke.

[52]   J. Lebon, S. 480.

[53]   Vgl. Einführung, Anm. 10.

[54]   Ebd.

[55]   P.G., Bd. LXXVII, Sp. 236, 45.

[56]   J. Lebon, S. 480.

dieser Hinzufügung zum dreifachen Sanctus barg zwei häretische Möglichkeiten in sich: selbst dann, wenn man das Sanctus auf das WORT, den Sohn Gottes, allein bezog, bestand die Möglichkeit der Häresie, indem vorausgesetzt wurde, das WORT habe seiner Gottheit nach gelitten. Eine weitere häretische Möglichkeit bestand darin, den Dreifaltigkeits - Hymnus auf die ganze Trinität zu beziehen und damit auch Gott dem VATER und dem Hl. GEIST die Kreuzigung zuzuschreiben. Philoxenus tat weder das eine noch das andere: er bezog das dreifache Sanctus auf das WORT allein, das dem Fleische nach gekreuzigt worden war[57]. Der falschen Vorstellung vom „unsterblichen Fleisch" stellt er seine Erklärung entgegen, wonach der Unsterbliche nur darum gekreuzigt werden konnte, weil er zuvor Fleisch angenommen hatte; denn für Philoxenus umfaßt das Wort „crucifixus est" zugleich die Körperlichkeit und die Kreuzigung[58].

[57] Ebd., S. 485.
[58] J.S. Assemani, Biblioth. orient., II, 37 - 38.

VI.
Das Einigungs–Edikt

Wir kommen nun zu dem Einigungs-Edikt, das im Jahre 482 von Kaiser Zenon ver-
öffentlicht wurde. Der Text dieses Erlasses lautet: „Autokrator Kaiser Zenon, der
Fromme, der Sieger, der Triumphator, der Größte, immer Augustus, ist eingesetzt
über Alexandrien und Ägypten, über Lybien und Pentapolis durch die ehrwürdigen
Episkopalen und Kleriker, durch die Mönche und Laien. Als Grundlage und Sicher-
heit, als Macht und Schild unseres uneinnehmbaren Kaiserreiches anerkennen wir
den allein richtigen und wahren Glauben, der von dreihundert und achtzehn zu Nicaea vereinten heiligen Vätern dank göttlicher Eingebung dargelegt worden ist. Einhundert und fünfzig in Konstantinopel versammelte ebenso heilige Väter haben ihn
voller Eifer und Sorgfalt während des Tages und während der Nacht bekräftigt, und
auch wir handeln so nach unseren Gesetzen, aufdaß an allen Orten die heilige katho-
lische und apostolische Kirche Gottes, die die unzerstörbare und unsterbliche Mutter
unserer Zepter ist, durch jenen von mir anerkannten Glauben vergrößert werde: aufdaß die frommen Völker in Frieden und in der immerwährenden Eintracht, welche
um Gott ist, unserem Kaiserreich die Gott wohlgefälligen Gebete darbringen zugleich mit den von Gott begnadeten Episkopalen, den religiösesten Klerikern, Archimandriten und Mönchen.

Solange aber der große Gott und unser Bewahrer Jesus Christus, der von der heiligen Jungfrau Maria und Mutter Gottes Fleisch angenommen hat und geboren worden ist, den Zusammenklang all unserer Verherrlichung und Huldigung billigen und
gütig aufnehmen wird, werden die Feinde zugrunde gerichtet und zerstört werden;
alle unsere Geschlechter aber beugen die Nacken vor der Macht Gottes; auch wird er
den Menschen Frieden und das aus dem Frieden hervorgehende Gute, – des Him-
mels milde Wärme, nutzbringende Fruchtbarkeit und was auch immer für andere
Annehmlichkeiten – , schenken.

Wie also der untadelige Glaube sowohl uns als auch das römische Gemeinwesen
auf diese Weise bewahrt, so gehören uns die Gebete, welche von den religiösesten
Archimandriten, Eremiten und anderen dargebracht werden, die mit Tränen demü-
tig baten, die Einheit der Kirche zu bewirken, die zu trennen dahingegen schon lange
die Absicht des Feindes alles Guten ist.

Ich weiß, daß wenn der unerfahrene Körper der Kirche angegriffen werden wird, es leicht ist, ihn zu überwinden. – Daraus fürwahr geht hervor, daß eine unzählige Menge von Menschen, die diesem Licht während eines jahrelang andauernden Zeitraumes entzogen ist, sich zum Teil einer Wiedergeburt durch die Taufe unterziehen, zum Teil aber auch aus diesem Leben gehen wird, ohne Teilhabe an der göttlichen Gemeinsamkeit; sodaß unzählige Morde vollzogen werden und durch die Menge vergossenen Blutes nicht nur die Erde, sondern auch die Luft befleckt wird.

Wer aber würde nicht wünschen, dieses in einen besseren Zustand zu bringen? – Deshalb wollen wir, daß ihr wißt, daß weder wir noch diejenigen, die überall in Kirchen sind, kein anderes Symbol oder Zeichen, keine andere Glaubensbestimmung oder keinen anderen Glauben als das zuvor in Erinnerung gebrachte berühmte heilige Symbol der dreihundert und achtzehn heiligen Väter, welches – wie schon berichtet – durch einhundert und fünfzig heilige Väter bestätigt worden ist, gehabt haben, haben und auch haben werden, und niemanden anerkennen, der ihn nicht hat.

Denjenigen, der einen anderen Glauben hat, erklären wir öffentlich als Außenstehenden. Mit diesem Symbol allein glauben wir fest, – wie schon gesagt ist – , unserem Kaiserreich zu dienen. Aber auch alle Völker, die die heilige Taufe erhalten, werden allein durch dieses angenommene Symbol getauft. – Ebenso ist auch den heiligen Vätern zu folgen, die sich in Ephesus vereinten, und die den sündhaften Nestorius zugleich mit denjenigen, die seinem Grundsatz weiterhin verhaftet sind, abgesetzt haben.

Diesen freilich verfluchen wir zugleich mit Eutyches, da er den berühmten Lehrsätzen der Väter entgegen ist, in die auch die zwölf Kapitel aufgenommen sind, die zum heiligen Gedenken an Cyrill, den einstmaligen Erzbischof der heiligen Kirche der Alexandriner, oft genannt werden.

Wir aber bekennen den eingeborenen Gottessohn und Gott, der wahrhaft zum Menschen gemacht worden ist, unseren Herrn Jesus Christus, der seiner Gottheit nach dem Vater konsubstantiell ist, so wie er seiner Menschheit nach uns konsubstantiell ist: welcher herabgestiegen ist und verkörpert worden ist aus dem heiligen Geist durch Maria die Jungfrau und der Mutter Gottes, welcher einer ist, nicht zwei. Einer nämlich sagen wir, obwohl er bald Wunder, bald irgendwelche Leiden freiwillig im Fleische auf sich genommen hat. – Wahrhaftig, diejenigen, welche trennen oder verschmelzen oder eine Einbildung annehmen, anerkennen wir keineswegs. Wenn aber jene wahre Verkörperung aus der Mutter Gottes auch nicht der Sünden teilhaftig ist, so bewirkt doch keines von beiden das Hinzukommen des Sohnes.

Es bleibt fürwahr die Trinität immer die Trinität, auch wenn einer aus der Trinität, Gott, das WORT, verkörpert ward. Deshalb vereinigen wir uns ohne Zögern den weisen, heiligen und orthodoxen Kirchen Gottes, die überall sind, und denen die Gott liebenden Bischöfe und auch unser Kaiserreich vorstehen, aufdaß niemand ein anderes Symbol oder eine andere Bestimmung des Glaubens über die heiligen festgelegten Sätze hinaus annehme oder annehmen werde. Wir schreiben euch auch dieses, nicht um den Glauben zu erneuern, sondern um euch zufriedenzustellen. Wer aber auch immer anders fühlt oder denkt, sei es jetzt oder irgendein anderes Mal, sei es durch Chalcedon oder durch irgendeine andere Synode, den verfluchen wir: vor allem aber Nestorius und Eutyches und diejenigen, die ebenso wie jene denken.

Verbindet euch also, aufdaß ihr zugleich auch mit uns in einer göttlichen Gemeinsamkeit seid, die der berühmten Glaubensbestimmung der dreihundert und achtzehn heiligen Väter, welche die eine und einzige Glaubensbestimmung ist, nahe steht. – Unsere heilige Mutter Kirche nämlich erwartet euch wie eigene Söhne, aufdaß sie geliebt werde, und wünscht nach langer Zeit den lieblichen Zusammenklang euerer Stimmen zu hören. – Eilt also in raschem Lauf. Da ihr, wenn ihr es tun werdet, die Zuneigung des Herrn und Bewahrers und unseres Gottes Jesus Christus gewinnen, und alsdann von Unserer Majestät höchstes Lob erhalten werdet[1]."

Um sich über die Nachwirkungen dieses Ediktes ein Urteil bilden zu können, muß man die Epoche von 484 bis 519 in ihrem geschichtlichen Zusammenhang sehen[2]. – Seit der chalcedonensischen Entscheidung hatten sich die Kaiser in die Religionsstreitigkeiten eingeschaltet, und die verschiedenen Regierungswechsel trugen dazu bei, die religiösen Kämpfe und die kirchlichen Spaltungen aufrechtzuerhalten[3]. So hatte Leo I. (- 474) das Chalcedonense verteidigt, Basiliskos aber, der sich nach dem Tode Leos des Thrones als Usurpator bemächtigte, annulierte die chalcedonensische Entscheidung[4], was wiederum dazu führte, daß die ersten episkopalen Stühle von Monophysiten besetzt wurden. Nachdem ihn Zenon gestürzt hatte (477) und aufs Neue zur Macht gelangt war, vertrat Zenon die Orthodoxie. Er setzte Akakios, der sich dem Basiliskos widersetzt hatte, als Patriarchen von Konstantinopel ein[5]. In Alexandrien ergab sich eine schwierige Situation nach dem Tode des orthodoxen Patriarchen Timotheos Salophakialos (- 482)[6]. Kurz vor seinem Tod hatte er eine Delegation der alexandrinischen Reichskirche an den Hof von Konstantinopel gesandt unter der Führung von Johannes Talaia, einem Mönch des Tabannesioten - Klosters, aus welchem auch Timotheos stammte. Diese Delegation erbat für den Fall des Ablebens von Timotheos einen vom Klerus der alexandrinischen Reichskirche erwählten Orthodoxen[7]. Zenon stimmte der Bitte zu, schränkte jedoch seine Zustim-

---

[1] P.G., LXXXVI, 2620 - 2625.
[2] L.J. Tixeront, S. 109.
[3] G. Manojlovič, Bd. XI.
[4] Ebd., S. 105. Basiliscus verkündete im Jahre 476 das Enzyklion, eine Glaubensregel, die die drei ersten allgemeinen Konzile anerkannte, das chalcedonensische Konzil jedoch verwarf.
[5] Ebd., S. 107
[6] Ebd.
[7] E. Schwartz, Publ. Samm., S. 195.

mung dadurch ein, daß er Johannes Talaia veranlaßte, eidesstattlich vor dem Patriarchen und dem Senat darauf zu verzichten, jemals Bischof zu werden[8]. Der Grund für
diese geforderte Einschränkung war die Tatsache, daß Johannes Talaia sich um die
Gunst des Consuls Illus beworben hatte. Zenon aber wollte vermeiden, daß ein alexandrinischer Patriarch zum Bundesgenossen des für ihn so gefährlichen Illus werden könnte[9]. Einige Tage, nachdem die Delegation nach Alexandrien zurückgekehrt
war, starb Timotheos; und der alexandrinische Klerus wählte auf Grund von Zenons
Mandat, − in welchem der Eid des Talaia nicht erwähnt war -, Johannes Tailaia zum
Nachfolger. Er nahm die Wahl an und verschwieg seinen eidesstattlichen Verzicht[10].
Der Eidbruch des Talaia ließ den Kaiser vermuten, daß er mit Illus hochverräterische
Pläne schmiede, weshalb Zenon erwog, der chalcedonensischen Reichskirche Ägyptens seinen Schutz zu entziehen.

Zu eben dieser Zeit erschienen einige ägyptische Mönche in Konstantinopel und
berichteten darüber, welches Unheil das chalkedonische Konzil über die ägyptischen
und lybischen Provinzen gebracht habe. Sie baten, Petrus Mongos zum alexandrinischen Patriarchen zu erheben[11]. Die Entscheidung hing von Akakios ab. Ihm lag an
der Herrschaft über die geeinte orientalische Kirche; und um dieses Ziel erreichen zu
können, bedurfte er der Hilfe des Kaisers[12]. Daß Johannes Talaia auf den Eidbruch
hin seines Postens enthoben werden würde, war für ihn selbstverständlich. Auch
schien es nicht schwer, Petrus Mongos zum Patriarchat zu verhelfen. Die Schwierigkeit beruhte darin, bei der Verfolgung seines Zieles, den Kaiser nicht dazu zu verleiten, alle Beschlüsse des Chalkedonense fallen zu lassen, denn dadurch wäre die
Grundlage der Hoheitsrechte des Patriarchenstuhles von Konstantinopel angetastet
worden[13]. Sollte also der Kaiser seinen Schutz Petrus Mongos, der auf des Akakios

---

[8] Ebd., S. 196.
[9] Ebd.
[10] Zacharias Rhetor, III, 5. S. 223, 23.
[11] E. Schwartz, Publ. Samm., S. 197.
[12] Ebd., Urkunde 35, S. 163. Bittschrift ägyptischer Mönche an den Kaiser Zenon; Collectio Auellana 68, p. 153, 13, Collectio Veronensis 1, p. 3, 17. − Wir verweisen an dieser
     Stelle auf das von Eduard Schwartz in seinen „Publizistischen Sammlungen zum acacischen Schisma" aufgestellte „Urkundenverzeichnis". − „Urkunde 35" bezieht sich auf
     dieses Verzeichnis ebenso wie sich jede hier im Folgenden angeführte „Urkunde" auf
     dieses Verzeichnis bezieht. − E. Schwartz schreibt selbst dazu: „Um die Darstellung von
     spezifischen Bemerkungen über Überlieferung, Text u. dgl. zu entlasten und zugleich
     durch Verweisungen im Text eine Anschauung davon zu geben, wie sich die Urkunden
     in den Zusammenhang der Ereignisse einordnen, schicke ich ein Verzeichnis der erhaltenen und zu erschließenden Dokumente voraus, das in der Hauptsache auf die oben herausgegebenen Texte (Coll. Veronensis, Coll. Berolinensis) und die Coll. Auell. eingestellt ist, auch manches andere enthält, was nicht übergangen werden durfte, aber keineswegs „Regesten im eigentlichen Sinn vorstellen soll." S. 161 (Pub. Samm.).
[13] E. Schwartz, ebd., S. 197.

Veranlassung hin von Rom exkommuniziert worden war, gewähren und ihm das Patriarchat von Alexandrien überlassen, so mußte Mongos das Chalkedonense in gewisser Weise anerkennen[14]. Um dies erreichen zu können, beschloß Akakios ein religiöses Edikt zu entwerfen, in welchem alles dasjenige zusammengefaßt sein sollte, was den Orthodoxen und den Cyrillanhängern gemeinsam war. Und so setzte er das Edikt auf, das die Konzile von Nicaea, Konstantinopel und Ephesus völlig, das Chalkedonense jedoch nur teilweise anerkennt[15]. Nicht übereinstimmend mit dem Konzil von Chalkedon ist die Anerkennung der cyrillischen Kephalaia: Das Chalkedonense hatte nur den Brief kataphluarousi und die Unionsepistel an Johannes von Antiochien angeführt. – Wie im Chalkedonense wird der Hauptsatz der Unionsformel von 433 über die Inkarnation aufgenommen, jedoch mit einer Hinzufügung, die den Satz Leos (Tomus) verwirft: Unum horum coruscat miraculis, aliud subcumbit iniuriis[16]. Die darauf folgenden Sätze entsprechen wiederum den chalkedonensischen Absichten, indem sie sich gegen die Apollinaristen richten[17]. Zu Ende der ekthesis versichert der Kaiser, daß dies das Credo der rechtgläubigen Kirche, der Bischöfe sowie seiner selbst sei und fordert auf, sich ihnen zu einen[18].

Dieses von Akakios entworfene kaiserliche Edikt konnte bei einigem guten Willen sowohl von den Chalkedonensern als auch von den Cyrillanhängern anerkannt werden[19]. Da die ägyptische Delegation das kaiserliche Edikt günstig aufgenommen hatte, Petrus Mongos sich bereit erklärte, das Edikt zu unterschreiben, teilte Kaiser Zenon dem Papst Simplicius mit, daß Johannes Talaia eidbrüchig geworden und infolgedessen nicht würdig sei, das Episkopat zu erhalten. Stattdessen schlug er dem Papst vor, Petrus Mongos zum Patriarchen von Alexandrien zu erheben[20]. Petrus Mongos unterzeichnete das Edikt und zeigte sich bereit, auch die zur Reichskirche gehörenden Chalkedonenser in seine Gemeinschaft aufzunehmen. Daraufhin

---

[14] P.G., LXXXVI, 2620 - 2625.
[15] Act. Conc., II, 1, S. 279, 3.
[16] E.Schwartz, Pub. Samm., S. 198.
[17] H. Lietzmann, S. 296.
[18] P.G., LXXXVI, 2625.
[19] E. Schwartz, Publ. Samm., S. 198. – Weder das Konzil von Chalkedon noch der Tomus werden anathematisiert; auch sind die cyrillischen Formeln übernommen: „mia physis metà tèn henosin", „gnorixomenon èn dyo physesin".
[20] Ebd., Urkunde 36, S. 163. Zenons Schreiben an Simplicius, überbracht durch Uranius; Coll. Auell. 68, p. 152, 5 (15. Juli 482). 99, p. 449, 3; Zacharias Rhetor in: Scriptt. Christ. Orient., 3, 5 p. 232, 22 = Script. sacri et prof. 3 p. 80; Collectio Berolinensis 20 p. 68, 16, 20, 24.

erhielt er von Akakios die Synodika, die die Gemeinschaft der Form nach herstellte[21].
– Zenons Nachricht erreichte den Papst in dem Augenblick, als er im Begriff war, seine Zustimmung dem alexandrinischen Klerus zur Wahl des Johannes Talaia mitzuteilen[22]. Zwar hielt er daraufhin seine Antwort an die Alexandriner zurück, lehnte
aber Petrus Mongos mit der Begründung ab, daß er als Häretiker ausgestoßen sei[23].
Der Streit, der durch die Besetzung des alexandrinischen Patriarchats entstanden
war, erfuhr eine Unterbrechung durch die Erkrankung des Papstes[24]. Noch vor seinem Tode gelang es Simplicius, der die seit Papst Leo verfolgte Politik Roms bejahte,
– nämlich die unbedingte Anerkennung des Chalkedonense ungeachtet des Patriarchats von Konstantinopel – , durchzusetzen, daß die römische Regierung nur dann
eine Neuwahl gestatte, wenn die Reichskirche mit zu Rate gezogen würde[25]. Simplicius starb am 10. März 483. Am 13. März wurde im Einverständnis mit der Regierung
Odoakars Felix III. ordiniert. Er hielt sich an die von Simplicius vertretene Politik und
nahm den Briefwechsel mit Kaiser Zenon wieder auf[26]. Auch wandte er sich an Akakios, der dem Papst Simplicius gegenüber ein auffallendes Stillschweigen beobachtet
hatte, wodurch Simplicius über die Lage in Alexandrien im Unklaren geblieben
war[27]. Papst Felix setzt, wie aus seinen beiden Schreiben hervorgeht, voraus, daß
sowohl Zenon als auch Akakios Petrus Mongos als Gegner des Chalkedonense verurteilen. Er weist darauf hin, daß der Kaiser dem Klerus der alexandrinischen Reichskirche zugesagt habe, zum Nachfolger des Timotheos Salophakialos einen - von eben
diesem Klerus ordinierten - Chalkedonenser wählen zu dürfen[28]. Werde Petrus Mon-

---

[21] E. Schwartz, Publ. Samm., Urkunde 39 u. 40, S. 163. (Urk. 39) prosphonesis des Petrus
Mongos in der Kirche vor der öffentlichen Verlesung des zenonischen Edikts; syr. Über-
setz. bei Zacharias Rhetor in: Scriptt. Christ. Orient. 3,5 p. 226,3 = Script. sacri et prof. 3
p. 74; vgl. Liberat. 17. Coll. Auell. p. 795,3,4,5; (Urk. 40) Synodika des Acacius an Petrus
Mongos; syr. Übers. bei Zacharias Rhetor a.a.O. p. 235,20 = p. 82; vgl. Liberat. 17.

[22] Ebd.

[23] E. Schwartz, Publ. Samm., Urkunde 41, S. 164. Simplicius' Antwort auf Zenons Schreiben (Urk. 36); Coll. Auell. 68 p. 152,5; (Urk. 41) Coll. Veron. 1; vgl. Coll. Auell. 99
p. 448,7.

[24] E. Schwartz, Publ. Samm., S. 202.

[25] Ebd.

[26] E. Schwartz, Publ. Samm., Urkunde 48, S. 164. Brief des Papstes Felix an Zenon nach
seiner Ordination (13. März 483); Coll. Berol. 20.

[27] E. Schwartz, Publ. Samm., Urkunde 49, S. 164. – Akakios brauchte Rom gegenüber
nicht höfliche Unterwürfigkeit zu zeigen wie einstmals der Patriarch Anatolis unter der
Regierung Marcians, da, nachdem der letzte von Konstantinopel anerkannte Kaiser
des Abendlandes ermordet worden war, dem konstantinopler Kaiser die Oberhoheit
über den Papst zukam. – Odoakar, der eigentliche Herrscher, hatte von Zenon nur den
Titel patricius erhalten und stand außerhalb der Reichskirche. (Urk. 49) Felix' Brief an
Acacius; Coll. Berol. 21.

[28] E. Schwartz, Publ. Samm., S. 203.

gos als rechtsmäßiger Nachfolger des Timotheos Salophakialos anerkannt, so bedeute dies den Verlust der Rechtskraft des Chalkedonense[29]. Papst Felix beschloß, Dele-
gierte nach Konstantinopel zu senden, um persönlich mit dem Kaiser und dem Patriarchen zu verhandeln[30]. Er wählte zu diesem Auftrage die Bischöfe Vitalis von
Truentinum und Misenus von Cumae aus sowie den „defensor" der römischen Kirche, Felix[31]. Noch bevor die Gesandten Rom verließen, tauchte Johannes Talaia auf,
der von Alexandrien geflohen war, und der dem Papst eine formell an Papst Simplicius gerichtete Anklageschrift gegen Akakios überreichte[32]. Vorgeworfen wurde
Akakios, entgegen seiner Befugnis, Johannes Kodonatos zum Metropoliten von Tyrus eingesetzt, und dem – auf seinen Wunsch hin von Papst Simplicius exkommunizierten – Petrus Mongos zum Patriarchat von Alexandrien verholfen zu haben[33].

Dieser Streit konnte dem Gewohnheitsrecht nach nur durch ein Reichskonzil ent-
schieden werden; daß es jedoch zwecklos sein würde, den Kaiser um die Einberufung
eines Reichskonzils zu bitten, dessen war Felix sich bewußt. Und hätte er die Klage
schrift an den Kaiser weitergereicht, so wäre dies einem Verzicht auf den Primat des
apostolischen Stuhles gleichgekommen[34]. Deshalb wagte er es, Akakios vor eine römische Synode zu laden, was eine Herausforderung bedeutete, die er sich nur darum
erlauben konnte, weil Rom außerhalb des kaiserlichen Machtbereiches lag[35]. Den
Kaiser setzte er in Kenntnis von dieser Ladung[36], die Schriftstücke wurden den Legaten mitgegeben. Nachdem die päpstliche Delegation bereits ihre Reise nach Konstantinopel angetreten hatte, erhielt Felix einen Brief von Cyrill, dem Abt der Akoimeten[37]. Cyrill warf Rom vor, nicht sofort nach dem Erlaß des Ediktes von Zenon
und der Einsetzung von Petrus Mongos für die unbedingte Autorität des Chalkedonense eingetreten zu sein[38]. Diesem Brief zufolge schickte der Papst seinen Legaten
den Befehl nach, nicht eher mit den Verhandlungen zu beginnen, als bis sie mit dem

---

[29] Ebd.
[30] Ebd., Urkunde 33, S. 163. Zenons Brief an Timotheos Salophakiolos u. mandatum an
      den reichskirchl. Klerus von Alexandrien: Coll. Auell. 99 p. 448,11. 95 p. 384,8. 16; Coll.
      Berol. 20 p. 67,2. 21 p. 71,7; Coll. Veron. 11 p. 33,16. 20. 34,2; Zacharias in Scriptt. Christ.
      Orient. 3,5 p. 223,10 = Script. sacri et prof. 3 p. 71.
[31] E. Schwartz, Publ. Samm., S. 203.
[32] Ebd.
[33] Ebd., S. 204.
[34] Ebd., S. 204.
[35] Ebd., Urkunde 50, S. 164. Papst Felix lädt Acacius zur Verhandlung über Johannes Ta-
      laias Libellus nach Rom; Coll. Berol. 23; vgl. Coll. Auell. 95 p. 373,5.
[36] E. Schwartz, Publ. Samm., Urkunde 51, S. 164. Felix teilt Zenon den Libellus des Joh.
      Talaias u. die Ladung des Acacius mit; Coll. Berol. 22.
[37] E. Schwartz, Publ. Samm., S. 204.
[38] Ebd., S. 205.

Abt der Akoimeten gesprochen hätten[39]. Von da ab beginnen die Akoimeten in den kirchenpolitischen Kämpfen eine wesentliche Rolle zu spielen bis über den Tod Justinians hinaus[40]. Die römischen Gesandten trafen im Sommer 483 zu einem für Konstantinopel kritischen Zeitpunkt ein: es drohte Krieg mit Illus, der zu jener Zeit magister militum im Orient war. Um eine Aussprache zwischen den päpstlichen Legaten und den romfreundlichen Akoimeten zu verhindern, bemühten sich Zenon und Akakios die apostolischen Gesandten zu isolieren: zuerst wurden sie verhaftet und ihrer Papiere beraubt, bald jedoch wieder frei gelassen[41]. Zenon und Akakios versicherten ihnen, daß die endgültige Entscheidung Rom überlassen bliebe, woraufhin die so getäuschten Bischöfe in feierlicher Prozession mit Akakios sowie mit den Delegierten von Petrus Mongos durch Konstantinopel zogen und mit ihnen gemeinsam die Kommunion nahmen[42]. Sie mieden hingegen die Akoimeten und die Ägypter, die vor Petrus Mongos geflohen waren und Hilfe von ihnen erwarteten[43]. Wieder nach Rom zurückgekehrt, überreichten sie dem Papst Schreiben von Zenon und Akakios. Der Kaiser hielt seine Beschuldigungen gegen Johannes Talaia aufrecht und setzte sich für Petrus Mongos ein. Auch teilte er mit, daß sich Petrus, bevor ihm der Patriarchenstuhl zugesprochen worden war, zum Nicaeanum durch seine Unterschrift bekannt habe. Außerdem berief sich der Kaiser auf die Ratschläge des Akakios[44]. Akakios selbst lobte die Maßnahmen des Kaisers und betonte das orthodoxe Verhalten von Petrus Mongos, zu dessen Gemeinschaft auch die Anhänger des Timotheos Salophakiolos gehörten. Johannes Talaia hingegen griff er an. Er selbst und der Kaiser, so versicherte er, hielten streng am Chalkedonense fest[45].

Der akoimetische Abt Cyrill war empört über die römischen Bischöfe, durch deren Verhalten sein sorgfältig vorbereiteter Plan mißglückte; die Römer nämlich hatten die von ihm aus akoimetischen Mönchen, konstantinopolitanischen Archimandriten und ägyptischen Flüchtlingen zusammengestellte Fronde gegen Akakios anführen sollen. Stattdessen verstärkten sie die Macht des ihm verhaßten Patriarchen[46]. Er sandte den Akoimeten Simeon nach Rom, um dem Papst berichten zu lassen, was

---

[39]   Ebd., Urkunde 53, S. 164.

[40]   E.Schwartz, Publ. Samm., S. 205.

[41]   Ebd., S. 206.

[42]   Ebd.

[43]   Ebd.

[44]   Ebd., Urkunde 55, S. 164. Antwort Zenons auf die beiden Schreiben des Papstes Felix (Urk. 48 u. 51); Coll. Veron. 11 p. 36,37. 37,18. 38,37; Coll. Auell. 95. p. 385,4. 392,1 Urk. 55.

[45]   Ebd., Urkunde 56, S. 165. Antwort des Acacius auf die beiden Schreiben des Papstes Felix (Urk. 49 u. 50); Coll. Veron. 5 p. 6, 19. 20. 7,10. 11. 10 p. 26, 10. 11. 10 p. 26, 10. 11 p. 37. 37,6. 7. 41,24. 29; Coll. Auell. 70 p. 157, 9-11. 95 p. 374,10. 375,11. 15. 385,6. 392,2. 395,4. (Urk. 56).

[46]   E. Schwartz, Publ. Samm., S. 206 - 207.

sich in Konstantinopel zugetragen hatte[47]. Felix III. berief daraufhin im Juli 484 ein Konzil nach Rom ein, entsetzte die Legaten ihrer Würde und stieß sie aus der kirchlichen Gemeinschaft aus. Petrus Mongos, der von Rom längst als Häretiker verurteilt worden war, wurde nicht als Patriarch anerkannt[48]. Auch Akakios unterlag der Verurteilung. Ihn traf der Vorwurf, den sechsten nicaeanischen Kanon verletzt zu haben durch widerrechtliche Machtergreifung in Bezug auf ihm nicht zustehende Ordinationen: er habe den aus Antiochien verjagten Johannes Kodonatos in Tyrus eingesetzt, einen exkommunizierten Diakon zum Presbyter befördert und schließlich Petrus Mongos, der von ihm seinerzeit in einem Brief an Papst Simplicius als Häretiker bezeichnet worden sei und dessen Ausstoßung er gefordert habe, wieder in die kirchliche Gemeinschaft aufgenommen[49]. Das über Akakios verhängte Urteil war so scharf gehalten, daß Rom sich selbst den Rückweg abgeschnitten hatte[50]. Um jedoch die Exkommunikation rechtskräftig werden zu lassen, mußte sie persönlich überbracht werden; deshalb sandte Felix einen römischen Geistlichen, namens Tutus, als „defensor ecclesiae" nach Konstantinopel. Obwohl Zenon alle Wege zu Wasser und zu Lande bewachen ließ, gelang es ihm doch das sich in Konstantinopel befindliche Kloster des Dios zu erreichen. Hier kam man überein, einige Mönche (offenbar Akoimeten) damit zu beauftragen, die Exkommunikationsurkunde am folgenden Sonntag Akakios in der Sakristei zuzustecken. Und in der Tat gelang es, die Urkunde an die erzbischöfliche Schulterbinde anzuhängen. Diejenigen, die um Akakios waren, empörten sich über diese Tat und töteten einige der kühnen Mönche[51]. Akakios hielt trotzdem den Gottesdienst ab. Auch gelang es ihm, den Überbringer der päpstlichen Urkunde für sich zu gewinnen[52]. Als Felix davon erfuhr, enthob er Tutus seines Postens und exkommunizierte ihn[53]. Von nun an war fast der ganze Orient von Rom getrennt, das Edikt Zenons wurde entscheidend für den Osten. Zenon veranlaßte die orientalischen Bischöfe sein Edikt zu unterschreiben und Petrus Mongos anzuerkennen. Er und Akakios hielten die Einheit des Glaubens aufrecht auf Grund des Eini-

---

[47] Ebd., Urkunde 57, S. 165. Akten der röm. Synode, die unter dem Vorsitz des Papstes Felix die Legaten nach ihrer Rückkehr verurteilte; Coll. Veron. 11 p. 46,2. 6.

[48] E. Schwartz, Publ. Samm., S. 207.

[49] J.D. Mansi, VII, 1065: „Acacium, qui secundo a nobis admonitus statutorum salubrium non destitit esse contemptor, meque in meis credidit carcerandum, hanuc Deus caelitus prolata sententis de sacerdotio fecit extorrem. Ergo, si quis episcopus, clericus, monachus, laicus post hanc denunciationem eidem communicaerit, anathema sit, Spiritus Sancto exsequente."

[50] E. Schwartz, Publ. Samm., Urkunde 58, S. 165; Coll. Berol. 29 p. 77,23; Coll. Veron. 5 (= Coll.Berol. 29 p. 77,23).

[51] A. Dufourcq, S. 276.

[52] E. Schwartz, Publ. Samm., S. 208.

[53] Ebd., Urkunde 62 u. 63, S. 165. Coll. Berol. 29 p. 77,22 (Urk. 62); Coll. Berol. 29 (Urk. 63).

gungs-Ediktes und versuchten, das Gleichgewicht zu halten zwischen den östlichen Konfessionen[54].

Akakios starb am 26. November 489. Nachdem dieser starke Wille erloschen war, strebten die Orthodoxen darnach, mit Rom zu verhandeln. Der Kaiser und der von ihm eingesetzte Patriarch Fravitta[55] waren zu Verhandlungen bereit, bekannten sich jedoch weiterhin zum Henotikon, um das Andenken an Akakios und die Gemeinschaft mit Petrus Mongos aufrecht zu erhalten[56]. Demgemäß wurden zwei Urkunden verfaßt, eine für Rom bestimmte Urkunde und eine zweite für Alexandrien bestimmte[57]. Die an den Papst gerichtete Urkunde bekannte sich zum Primat des apostolischen Stuhles, zur orthodoxen Glaubensübereinstimmung mit Rom und zur unbedingten Anerkennung des Chalkedonense. Der Wunsch kam zum Ausdruck, die Gemeinschaft mit Rom wieder herzustellen. Dem Schreiben des Patriarchen war zudem ein Schreiben des Kaisers hinzugefügt, worin er Fravitta lobte und selbst den Wunsch zur Versöhnung äußerte[58]. Papst Felix aber stellte die Bedingung, die Namen von Akakios und Petrus Mongos aus den Dyptichen zu streichen[59]. Die gleiche Forderung richtete er auch an den Kaiser, allerdings im Tone demütiger Unterwerfung[60]. Ein weiteres päpstliches Schreiben ging an einen bei Zenon in Gunst stehenden konstantinopolitanischen Bischof ab, mit der Bitte, Zenon zu veranlassen, die Einheit der Kirche wieder in der Weise herzustellen, wie sie von Rom gewünscht werde[61]. In dem nach Alexandrien gesandten Schreiben hatte sich der Patriarch damit begnügt, Versicherungen seiner brüderlichen Liebe zu geben und der Anathematisierung der Häresien von Nestorios und Eutyches zu gedenken. Nicht erwähnt waren das Einheitsedikt, das Chalkedonense und Leos Tomus[62]. Aus den Zeilen der alexandrinischen Antwort spricht die Reaktion auf die Nicht-Erwähnung des für die Alexandriner im Brennpunkt stehenden Einheitsediktes: der Wille des Kaisers, dem Fravitta seine Wahl danke, schreibt Petrus Mongos, stehe hinter dem Henotikon, dessen Lehre die der alexandrinischen Kirche sei und die Irrtümer des Chalkedonense und des Tomus von Leo verfluche. Zwischen den Zeilen steht die unausgesproche-

---

[54] L.S. Tillemont, Bd. XVI, S. 363.
[55] E. Schwartz, Publ. Samm., S. 213.
[56] Ebd.
[57] Ebd., Urkunde 66 u. 67, S. 166. Synodika des Patriarchen Fravitta an Papst Felix. Coll Berol. 44 p. 111,17. 26. 31. 112,6. 24. 27; 34 p. 83,12 (Urk. 66); Synodika Fravittas an Petrus Mongos von Alexandrien; in syr. Übers. bei Zacharias, Corp. scriptt. Christ. Orient 3,6 p. 9,23 = Script. sacri et prof. 3 p. 93 (Urk. 67).
[58] E. Schwartz, Publ. Samm., Urkunde 68, S. 166. Coll. Berol. 34 p. 83,2. 8. 10. 85,8.
[59] Ebd., Urkunde 69, S. 165. Coll. Berol. 44; E. Schwartz weist darauf hin, daß ‚Gelasius‘ statt ‚Felix‘ gesetzt ist.
[60] Ebd., Urkunde 70, S. 166. Coll. Berol. 34.
[61] Ebd., Urkunde 71, S. 166. Coll. Berol. 31.
[62] Ebd., Urkunde 67, S. 166.

ne Forderung, diejenigen Sätze des Henotikons aufrecht zu erhalten, die der Anerkennung des Chalkedonense widersprechen[63]. Die Antworten erreichten Frattiva nicht mehr. Er war Mitte März 490 gestorben. – Ihm folgte Euphemios auf den Patriarchenstuhl; obwohl in Alexandrien erzogen, gehörte er doch den Chalkedonensern an[64]. – Über die von Petrus Mongos an Frattiva gerichtete Antwort geriet er in Wut, strich ihn sofort aus den Dyptichen und beabsichtigte mit ihm eine briefliche Kontroverse zu beginnen. Aber Petrus Mongos starb am 29. Oktober 490[65]. Die Nachricht vom Tode Frattivas und der Wahl seines Nachfolgers wurden Papst Felix durch eine Gesandtschaft der Klöster von Konstantinopel überbracht. Und einige Zeit darnach erhielt er ein Schreiben von Euphemios, worin der Patriarch den an den verstorbenen Frattiva gerichteten päpstlichen Brief beantwortete[66]. Euphemios bekennt sich in diesem Brief ausdrücklich zum Chalkedonense[67]. Wohl anerkannte der Papst die Orthodoxie des Patriarchen, verweigerte aber die Aufnahme in seine Gemeinschaft, weil Euphemios sich nicht dazu entschließen konnte, Akakios aus den Dyptichen zu streichen[68].

Am 9. April 491 starb Zenon[69]. – Sein Nachfolger wurde Anastasios, der den Kaiserthron vom 491 bis 519 innehatte. Der einzige, dem diese Wahl mißfiel, war der streng orthodoxe Patriarch Euphemios, weil Anastasios am Henotikon festhielt. Euphemios wollte ihn nur krönen, wenn er den Eid leiste, den Glauben unversehrt zu bewahren und keine Neuerungen in die Kirche einzuführen[70]. Um zu zeigen, wie er diese Forderung verstehe, ließ der Patriarch zuvor das Chalkedonense synodal bestätigen[71]. Anastasios erfüllte die Bedingungen des Patriarchen und ließ sich von ihm krönen.

Papst Felix, der dem Kaiser noch ein Glückwunschschreiben nach seiner Thronbesteigung gesandt hatte[72], starb am 1. März 492. – Die Spannung, die zwischen Rom und Konstantinopel während der letzten Lebensjahre des Papstes hervorgerufen worden war, blieb unter Gelasius, seinem Nachfolger, weiterhin bestehen. Gelasius, der von 492 bis 496 römisches Kirchenoberhaupt war, erhielt alle Forderungen aufrecht. Euphemios, als wahrhafter Chalkedonenser, bemühte sich, aufs Neue Verhandlungen mit Rom einzuleiten und sandte dem Papst ein Schreiben, in welchem er Gelasius als den von der Vorsehung Auserkorenen begrüßte, der alles das zu sehen

[63] E. Schwartz, Publ. Samm., S. 213.
[64] Ebd.
[65] Ebd.
[66] E. Schwartz, Publ. Samm., Urkunde 75, S. 166. Coll. Veron. 12 p. 51.16. 54,12.
[67] E. Schwartz, Publ. Samm., S. 214.
[68] Ebd.
[69] J. Malalas, Exerpta, S. 216 u. 391.
[70] E. Schwartz, Publ. Samm., S. 219.
[71] Ebd.
[72] Ebd., Urkunde 76, S. 166. Coll. Veron. 7 p. 16,8.

vermöge, was zur Einheit der Kirche notwendig sei[73]. Doch konnte Euphemios sich auch jetzt nicht bereit erklären, den Namen des Akakios aus den Dyptichen zu streichen – mit der Begründung –, daß der demos von Konstantinopel es nicht dulde und bei Erfüllung dieser vom Papst gestellten Forderung ein Aufstand der Zirkusparteien drohe, sowohl in Konstantinopel als auch in Alexandrien. Es bedeute jedoch keine Gefahr für die Orthodoxie, wenn der Papst diese Forderung fallen ließe, denn Akakios sei kein Häretiker im Sinne von Eutyches und Dioskoros gewesen und von keinem Konzil als solcher verdammt worden[74]. Gelasius aber forderte weiterhin das Auslöschen des akakischen Namens; auch wies er die ihm von Euphemios vorgeschlagene sygkatabatike diathesis zurück und weigerte sich, Unterhändler zur Wiederherstellung des Friedens zu schicken.

Nachdem im Februar 493 der Gothenführer Theoderich den Sieg über Odoaker davon getragen hatte, riefen die Gothen ihn als ihren König aus. Doch bedurfte es noch der Bestätigung des Kaisers. Infolgedessen sandte der römische Senat zwei seiner Mitglieder, den magister officiorum Faustus und den vir illustris Irenaeus, mit zahlreicher Begleitung nach Konstantinopel[75]. Kaiser Anastasios versuchte das ihm vorgebrachte Anliegen, die königliche Würde zu verleihen, dazu zu nutzen, die Vereinigung mit Rom wiederherzustellen: seine Bedingung war, daß der römische Senat den Papst veranlasse, seine Forderung, den Namen des Akakios aus den Dyptichen zu streichen, aufzugeben und wieder die Gemeinschaft mit Konstantinopel aufzunehmen[76]. Der Legat Faustus sandte daraufhin einen Bericht an den Papst und bat Gelasius um Instruktionen[77]. Aus der Antwort des Papstes läßt sich auf den Inhalt des von Faustus geschickten Berichtes schließen: zur Absetzung des Akakios sei nur eine Reichssynode befugt gewesen, was bedeute, daß Akakios von Papst Felix entgegen den Kanones abgesetzt und exkommuniziert worden sei. (Diese Ansicht hatte auch Euphemios in seinem Brief an Gelasius geäußert). Akakios sei verurteilt worden, weil er Petrus Mongos in die Kirchengemeinschaft aufgenommen habe, doch sei diese Aufnahme nur auf Grund des Edikts von Zenon ermöglicht worden. Dieses Edikt sei auch für ihn, Anastasios, maßgebend[78]. Die Instruktion, die der römische Legat Faustus von Gelasius erhielt, verlangte, alles abzulehnen, was Konstantinopel vorzubringen habe. Auch berief sich der Papst auf die Schlußworte der von Felix III. verfaßten Exkommunikationsurkunde, wodurch er sich von jeglicher Beziehung zu

---

[73] Ebd., Urkunde 78, S. 166. Coll. Veron. 12 p. 49,9. 50,5. 11. 21. 22. 25, 29. 51,7. 52,6. 15. 21. 30,53. 12. 25. 54,3. 5. 8. 10. 12. 15. 21. 23. 24. 25. 26. 27. 55,2. 3. 11. 20.

[74] Ebd.

[75] E. Schwartz, Publ. Samm., S. 220.

[76] Ebd.

[77] Ebd., Urkunde 80, S. 166. Coll. Veron. 7 p. 16,1. 7. 17. 21. 31. 33. 17,10. 23. 27. 31. 18,5. 7. 12. 21. 24. 30. 34.

[78] E. Schwartz, Publ. Samm., S. 221.

der Kirche Konstantinopels lossagte[79]. Nachdem die römischen Legaten nach Rom zurückgekehrt waren und dem Papst Bericht erstattet hatten, setzte Gelasius dem Kaiser Anastasios auseinander, daß in kirchlichen Angelegenheiten die Autorität des apostolischen Stuhles über derjenigen des Kaisers stehe[80]. – Die Fäden, die zu Lebzeiten des Papstes Felix trotz dem Schisma noch Rom und Konstantinopel verbunden hatten, waren durch Gelasius endgültig zerrissen. –

---

[79] Ebd.
[80] Ebd., Urkunde 82, S. 167. Coll. Veron. 8.

VII.
Die Jahre des Schismas

Nach dem Tode von Gelasius (496) bemühte sich sein Nachfolger Papst Anastasius (496 - 498) die Beziehungen zu Konstantinopel wieder aufzunehmen. Er zeigte dem Kaiser seinen Amtsantritt an in einem Schreiben[1], das von zwei Bischöfen überbracht wurde. Zwar bat er, den Namen des Akakios aus den Dyptichen zu streichen, jedoch nicht als Folge des Anathemas von 484, sondern um zu verhindern, daß der Kirche durch den Namen eines Toten weiterhin Entzweiung drohe[2]. Auch bat er den Kaiser, die alexandrinische Kirche zum orthodoxen Glauben zurückzubringen. Um mit dem Kaiser verhandeln zu können, bedurfte es des Einverständnisses mit dem römischen Senat, doch mußte dieser die Einwilligung des ostgothischen Königs einholen. Theoderich nahm die Gelegenheit wahr, den Kaiser nochmals um die Bestätigung der königlichen Würde zu bitten[3], da nur die kaiserliche Anerkennung ihn vor den Römern legitimierte. Deshalb stellte er den Patrizier Festus an die Spitze der Gesandtschaft, der die beiden vom Papst erwählten Bischöfe zugehörten.

Am schwierigsten waren die Verhandlungen mit den Alexandrinern, denn es fehlte zunächst an einem Vermittler, der genügend griechisch verstand, um der Übertragung dogmatischer und kirchenrechtlicher Fragen gewachsen zu sein[4]. Da die römische Kirche keinen Kleriker besaß, der diese Aufgabe hätte erfüllen können, wandte sich der Papst an Andreas, den Exarchen von Thessalonich. Andreas, der sich bis dahin zu der Gemeinschaft mit Akakios und der Kirche von Konstantinopel bekannt hatte, ließ der Provinz Makedonien die Epistel des Gelasius an die dardanischen Bischöfe verlesen, woraufhin sich die makedonische Geistlichkeit von Akakios lossagte und ihn verfluchte[5]. Dies bedeutete eine, zum mindesten vorübergehende, Lösung von Konstantinopel, die dem Papst für seine Verhandlungen mit dem Kaiser zustatten kam. Der Exarch von Thessalonich schickte seinen Diakon Photios nach Rom,

---

[1] E. Schwartz, Publ. Samm., S. 226.
[2] Ebd., S. 226.
[3] Ebd., S. 227.
[4] Ebd.
[5] Ebd., Urkunde 88, S. 167. Coll. Auell. 95 (= Coll Berol. 41); Coll. Veron. 9 ist nach Günther, Sitzungsberichte der Wien. Akad. d. Wiss. 134 p. 96, ein gekürzter Auszug der Coll. Auell.; Schwartz weist auf einen Fehler in der Coll. Auell. p. 372, 24 hin: „cum dedito" muß heißen „cum meditato".

wo er mit dem Papst eine persönliche Unterredung hatte, ohne daß ein römischer Kleriker mithinzugezogen wurde[6]. Anschließend reiste Photios nach Konstantinopel im Auftrage des Papstes, um die römischen Gesandten bei ihren Verhandlungen mit den Alexandrinern zu unterstützen: als Thessaloniker verstand er latein und griechisch[7]. Nach dem Abschluß der Diskussionen überreichten die Alexandriner den römischen Legaten das offizielle Bekenntnis ihrer Kirche, nämlich das des Einigungsediktes unter Hinzufügung einer höflichen Bemerkung Rom gegenüber und einer eine Konzession bedeutenden Abänderung[8]. Sie erklärten sich bereit, Legaten nach Rom zu schicken, um über die Wiedervereinigung der Kirchen zu verhandeln, wenn der Papst das Bekenntnis zum orthodoxen Glauben aufrechterhalte[9]. Auch Konstantinopel wollte weiter verhandeln, der neue Patriarch Makedonios teilte dem Papst seinen Amtsantritt mit und zeigte sich bereit, die Gemeinschaft mit der römischen Kirche wieder aufzunehmen[10]. Kaiser Anastasios erkannte Theoderich als König an in der Hoffnung, ihn für die Wiedervereinigung der Reichskirche zu gewinnen, doch schlug seine Hoffnung fehl, da Papst Anastasios am 19. November 498 starb[11].

Die seinem Tode folgende Wahl zweier Päpste (Symmachus und Laurentius) war das Resultat der Streitigkeiten zwischen den Anhängern der gelasianischen Politik und denen der anastasianischen. Symmachus vertrat die Politik des Gelasius, Laurentius hingegen die des Anastasios. Die Anhänger der beiden Gegenpäpste stritten so heftig miteinander, daß sie die öffentliche Ruhe Roms bedrohten, und Theoderich sich veranlaßt sah, einzugreifen. Er versuchte, den Frieden wiederherzustellen, indem er sich für Symmachus entschied. Laurentius wurde entschädigt durch das Bistum Nuceria[12]. Trotz aller Klagen gegen Symmachus lag es nicht im Interesse Theoderichs, Symmachus fallen zu lassen, da er der von Papst Anastasios vertretenen konstantinopelfreundlichen Politik ein Ende bereiten wollte. Deshalb erlitten die Laurentiner eine völlige Niederlage[13]. So kam es, daß seit 498 jeder offizielle Versuch, die kirchliche Gemeinschaft mit Konstantinopel wieder herzustellen, für geraume Zeit unterblieb[14].

Kaiser Anastasios hielt an dem Einigungsedikt Zenons so lange fest, bis ihm Severus (der spätere Patriarch von Antiochien) begegnete[15]. Severus stammte aus einer christlichen Familie, war jedoch – der Sitte des Landes entsprechend – als Kind nicht

---

[6] E. Schwartz, Publ. Samm., S. 229.
[7] Ebd.
[8] Ebd.
[9] Ebd., Urkunde 93, S. 168. Coll. Auell. 102.
[10] E. Schwartz, Publ. Samm., S. 230.
[11] Ebd.
[12] Ebd., S. 231.
[13] Ebd., S. 236.
[14] Ebd., S. 237
[15] Ebd., S. 238.

getauft worden. Er studierte in Alexandrien Grammatik und Rhetorik, in Beirut Jura,
denn er beabsichtigte, Rechtsanwalt zu werden. Doch als er in Jerusalem unter den
Einfluß eines Mönchs geriet, der ihn schon in Beirut für das Kloster von Petrus dem
Iberer hatte gewinnen wollen, wurde er selbst Mönch und gründete schließlich ein
Kloster in Maiuma[16]. Nunmehr studierte er das kanonische Recht und die Dogmatik
der Kirchenväter, vor allem diejenige Cyrills. In jahrelanger Arbeit bereitete er den
Kampf gegen die chalkedonische Reichskirche vor; um jedoch diesen Kampf erfolg-
reich führen zu können, bedurfte er einer kirchlichen Stellung; er erhielt sie durch
Epiphanios, der sich dem Kreise von Petrus dem Iberer angeschlossen hatte und ihn
zum Presbyter ordinierte[17]. Im Jahre 508 bot sich Severus die Gelegenheit aus seiner
Abgeschiedenheit herauszutreten[18]. Er wurde als Apokrisarier nach Konstantinopel
gesandt, um beim Kaiser Hilfe für die Klöster von Maiuma zu erbitten, denn Elias,
der Patriarch von Jerusalem, hatte die bisher tolerierten Mönche vertreiben lassen[19].
Kaiser Anastasios ließ die vertriebenen Mönche in ihre Klöster zurückbringen und
ermahnte die Archimandriten in einem dogmatischen Schreiben, den Streit mit dem
Patriarchen von Jerusalem zu beenden und sich der Einigung der Kirchen anzunehmen[20]. Obwohl der Zweck seiner Reise erfüllt war, blieb Severus noch drei Jahre in
Konstantinopel[21]. Er nutzte diese Zeit zu literarischer Tätigkeit, und es gelang ihm,
eine Einigungsformel zu finden, – gleichsam eine Auslegung des Ediktes von Zenon –,
die von Kaiser Anastasios angenommen wurde[22].

   Zu jener Zeit forderten palästinensische und antiochenische Mönche die mit Severus nach Konstantinopel gekommen waren, chalkedonensische Mönche in und um
Konstantinopel heraus, indem sie dem Trisagion „der für uns gekreuzigt worden ist"
hinzufügten. Diese Hinzufügung ist schon im Jahre 431 aufgekommen. In einem an
Theodosius II. gerichteten Gesuch, das ihm eine durch Johannes von Antiochien ge-
führte orientalische Gesandtschaft überbrachte, heißt es: „ton eklekton aggelon ton
phrourounton ymas, ous parestotas opsesthe toi phoberoi thronoi kai ton phrikton
ekeinon agiasmon dienekos toi theoi prospherontes, on nyn tines paracharattein epi-
cheirousin[23]." Zwanzig Jahre später fügten – am Schluß der ersten Sitzung des
chalkedonischen Konzils (8. Oktober 451) – die Bischöfe in ihre Akklamation ein:
„Hagios o theos, hagios ischyrios, hagios athanatos, eleeson emas[24]." Die sich in Konstantinopel befindenden Anhänger des Severus behaupteten, daß der Ausruf „der

---

[16] M.A. Kugener, Patrologia oriental., II, fasc. 1.
[17] E. Schwartz, Publ. Samm., S. 239.
[18] Ebd.
[19] Ebd.
[20] Ebd.
[21] Ebd., S. 240.
[22] Ebd.
[23] Ebd., S. 242.
[24] Ebd.

für uns gekreuzigt worden ist" schon zur Zeit des Eustathios in Antiochien gebräuch-
lich war[25]. Eustathios selbst freilich hätte diese Hinzufügung auf Grund dessen, was
wir von seinem Leben wissen, abgelehnt[26]; doch war er längst zu einer legendären
Gestalt geworden, zu der sich Chalkedonenser und Anti-Chalkedonenser bekannten[27].

Dieser Anruf soll ohne die Hinzufügung dank einer übernatürlichen Offenbarung
zur Zeit des Proklos in Konstantinopel in die Liturgie aufgenommen worden sein[28].
Daß diese Hinzufügung falsch verstanden wurde, weist darauf hin, daß sie nicht von
vornherein zu dem Dreifaltigkeits-Hymnus gehörte. Ursprünglich nämlich sollte nur
Christus angerufen werden, worauf der Vokativ „Kyrie" hinweist; dies geht auch aus
dem Imperativ „eleeson" und aus der Hinzufügung „strauroteis" hervor[29]. Nach Photios soll ein jüdischer Konvertit den Dreifaltigkeits-Hymnus auf Gott – im Gegensatz
zu den heidnischen Göttern – bezogen haben, wobei er sich auf den Psalm 41, 3 berief: „Ton theon ton ischyron ton zonta[30]." Die Konstantinopolitaner glaubten, die
Hinzufügung bezöge sich auf die ganze Trinität, weshalb man in Konstantinopel den
Hymnus ohne Hinzufügung sang. Und als die palästinensischen und antiochenischen Mönche ihrer einheimischen Sitte gemäß die Hinzufügung sangen, kam es zu
einem Handgemenge[31], das zum Aufstand wurde und schließlich zur Absetzung des
Patriarchen Makedonios führte. Da die Mönche von Konstantinopel Makedonios als
den Beschützer der Rechtgläubigen, den Kaiser aber als Manichäer ausriefen, befahl
Kaiser Anastasios dem Patriarchen über die Einigungsformel mit Severus vor einem
vom Kaiser einberufenen Schiedsgericht zu disputieren[32]. Makedonios ließ sich von
Severus überzeugen und nahm die Formel an[33]. Doch führte dies dazu, daß diejenigen Mönche, die sich zu ihm bekannt und um seinetwillen die Schlägerei auf sich genommen hatten, sich von ihm lossagten. Der Patriarch nahm daraufhin seine vor
dem kaiserlichen Schiedsgericht abgegebene Erklärung zurück[34], seine Mönche
kommunizierten wieder mit ihm, doch schritt nunmehr der Kaiser gegen ihn vor und
ließ ihn von dem magister officiorum mit militärischer Gewalt aus der Stadt hinaus-
führen. Sein Exil war Euchaita[35]. Sein Nachfolger wurde Timotheos. Gern hätte Kaiser Anastasios es gesehen, wenn Severus der Freund des neuen Patriarchen gewor-

---

25 Ebd.
26 Ebd., S. 242.
27 Ebd.
28 Ebd.
29 Ebd.
30 Ebd., S. 242, Anm. 2.
31 Ebd., S. 243.
32 Ebd.
33 Ebd.
34 Ebd.
35 Ebd., S. 243, Anm. 3.

den wäre[36]. Doch beschloß Severus, sich nunmehr in sein Kloster zurückzuziehen. Der Kaiser berief, um die Unstimmigkeiten mit den Patriarchen von Jerusalem (Elias) und von Antiochien (Flavian), die sich geweigert hatten das durch Severus abgeänderte Einigungsedikt anzunehmen, zu beseitigen, ein Konzil nach Sidon ein. Achtzig Bischöfe waren anwesend, den Vorsitz hatten zwei Anhänger des Einigungsediktes: Philoxenos und Soterichos.

Die Hauptgegner Flavians, die antiochenischen Mönche, reichten eine Bittschrift gegen das Chalkedonense und den Tomus von Leo ein[37]. Flavian und seine Partei wichen einer Erklärung aus, wodurch Severus, der zu der Synode gekommen war, eine Niederlage erlitt[38]. Da keine Übereinstimmung erreicht worden war, ging die Synode ohne formellen Beschluß auseinander[39]. Den Patriarchen von Jerusalem verstimmte es, daß ein einfacher Mönch, wie Severus, im Begriff war, den Alexandrinern eine neue Formel aufzuzwingen und ihnen somit die Führung der antichalkedonensischen Opposition zu entreißen[40]. Der Kaiser selbst bestand weder vor noch nach dem Konzil von Sidon unbedingt auf der Absetzung Flavians. Letztlich waren es die Aufstände der Mönche, denen Flavian zum Opfer fiel; denn eingedenk der Schlägereien jener Mönche, die in Konstantinopel das Trisagion auf verschiedene Weise gesungen hatten, hielt Anastasios es für ratsam, Flavian absetzen zu lassen. Ihm folgte Severus auf den Patriarchenstuhl. Offenbar ging seine Wahl auf Philoxenos zurück, dessen Provinz am stärksten vertreten war[41].

In Konstantinopel entbrannte zu dieser Zeit wiederum der Kampf um die Hinzufügung zum Trisagion. Einem Freund von Severus, namens Marinus, war es gelungen, Kaiser Anastasios davon zu überzeugen, daß diese Hinzufügung nicht gegen das Dogma der Trinität verstoße[42], weshalb er im Auftrag des Kaisers vom Ambo der Kirche des heiligen Theodoros vorschlug, das Trisagion mit der Hinzufügung zu singen. Die Menge aber sang die gewohnte Formel, und es kam erneut zu Schlägereien, die auch am folgenden Tag noch andauerten. Obwohl Patriarch Timotheos allen Kirchen befahl, die Hinzufügung zu singen, nahmen die Aufstände kein Ende; und als die große Prozession zum Andenken an einen Aschenregen vom Jahre 473 stattfand, artete der Aufruhr zu Brandstiftungen und Mordtaten aus. Selbst die Autorität des Kaisers wurde angegriffen, seine Bilder und Statuen zerstört. Dessenungeachtet aber begab sich der Kaiser ohne Diadem in den Zirkus, wohin die Menge ihm folgte, indem sie das Trisagion ohne die Hinzufügung sang. Anastasios wies sie mit scharfen

---

[36] Ebd., S. 244.
[37] Ebd., S. 245.
[38] Ebd.
[39] Ebd., S. 245, Anm. 3.
[40] Ebd., S. 246.
[41] Ebd., S. 247.
[42] Ebd.

Worten zurecht und brachte sie zur Besinnung, sodaß sie sich wieder verlief. Die Anführer traf harte Bestrafung[43].

Der Kampf um das Trisagion in Konstantinopel rief die Opposition Roms hervor. Infolge des laurentianisch-symmachianischen Schismas waren die nach außenhin wirkenden Kräfte des Papstes außerordentlich begrenzt worden. Nun aber, aufgerufen durch die Geschehnisse in Konstantinopel, sandte Symmachus an den Klerus und die Klöster sowie an die gesamte Laienschaft Illyriens ein Schreiben, in welchem er mitteilte, daß der apostolische Stuhl nur mit denen Gemeinschaft halten werde, die sich von dem Gift des Eutyches, Dioskoros, Timotheos Aeluros, Petrus Mongos und Akakios fernhielten, d.h. von der Reichskirche Konstantinopels[44]. Symmachus beschränkte sich nicht nur auf die Illyrier, sondern suchte auch einen Weg, auf Konstantinopel Einfluß zu gewinnen. Er beschwerte sich bei Kaiser Anastasios, daß er fromme Menschen, die sich der Ungläubigkeit entzögen, gewaltsam in eine verbrecherische Gemeinschaft zwinge[45]. Der Kaiser erwiderte die Herausforderung, indem er darauf hinwies, daß Symmachus widerrechtlich zum Papst ordiniert worden sei[46]. Die Antwort des Papstes war ebenso scharf[47].

Hatte es sich bei diesem Briefwechsel nur um einen Wortstreit gehandelt, so schien es im Jahre 513 zu einer kriegerischen Auseinandersetzung zu kommen: Vitalian, ein mit den Bulgaren in Verbindung stehender vornehmer Gothe, erschien mit seinem Heer vor Konstantinopel, um Hypatius, einen Neffen des Kaisers, der als magister militum schlecht für die sich in der Gothenprovinz und in Bulgarien befindenden Heere sorgte, zu beseitigen; und da Vitalian, dessen Taufpate Flavian gewesen war, den nunmehrigen Patriarchen von Antiochien haßte, nahm er sich zugleich der Forderungen der chalkedonensischen Partei an[48]. Der Kaiser sorgte für Steuernachlässe, um die Ausbreitung des Aufstandes zu verhindern und versprach, ein Konzil unter dem Vorsitz des Papstes einzuberufen. Daraufhin zog Vitalian ab. Doch hielt der Kaiser nicht sein in der Not gegebenes Versprechen und setzte anstelle des Hypatius Cyrill zum magister militum ein. Cyrill aber wollte Vitalian heimlich beseitigen, sein Anschlag mißlang, und er selbst wurde in seiner Kommandantur erschlagen[49]. Der Senat von Konstantinopel erklärte Vitalian zum Feind, und ein großes Heer setzte sich unter der Führung von Hypatius im Jahre 514 in Bewegung. Doch wurde es

---

[43] Ebd., S. 248.

[44] Ebd.

[45] E. Schwartz, Publ. Samm., Urkunde 98, S. 169. Schreiben des Papstes Symmachus an Kaiser Anastasios, V p. 156, 2.

[46] Ebd., Urkunde 99, S. 169. Antwort des Kaisers Anastasios auf das Schreiben des Symmachus (Urk. 98); V p. 153, 10. 154, 6. 15. 21. 155, 16. 17. 157, 4.

[47] Ebd., Urkunde 100, S. 169. Antwort des Papstes Symmachus auf des Kaisers Schreiben (Urk. 99).

[48] E. Schwartz, Publ. Samm., S. 249.

[49] Ebd., S. 250.

bald von Vitalian vernichtet, und Hypatius gefangen genommen. Als sich der Gothe
mit seinem Heer und einer in Eile zusammengestellten Flotte Konstantinopel nahte,
beschloß der Kaiser Frieden zu schließen. Er ernannte Vitalian zum magister militum
für Thracien und gab ihm die Zusage, ein Konzil nach Herakleia einzuberufen, um
unter römischem Vorsitz entscheiden zu lassen, ob die Absetzungen von Makedonios, Flavian und anderen Patriarchen berechtigt gewesen seien. Auch sollte dieses
Konzil eine das Schisma beendigende Einigungsformel aufstellen[50].

Am 19. Juli 514 starb Papst Symmachus. Sein Nachfolger wurde Hormisda, zu dessen Politik das Zusammengehen mit dem ostgothischen König und ein gegen Kaiser
Anastasios gerichteter Angriff gehörten[51]. Am 28. Dezember 514 ging die kaiserliche
Sakra nach Rom ab, die den Papst zu einem in Herakleia stattfindenden Konzil für
den 1. Juli des folgenden Jahres einlud[52]. Etwa zur gleichen Zeit (Ende des Jahres
514) richteten Kaiser Anastasios und Dorotheos, der Bischof von Thessalonich, je ein
Schreiben an den Papst, um die unterbrochenen Beziehungen wieder aufzunehmen[53]. Diese beiden Schreiben trafen in Rom eher als die Sakra ein, die Sakra
selbst erhielt der Papst erst fünf Monate nachdem sie abgegangen war[54]. In seiner
Antwort vom 8. Juli stellte er eine Legation in Aussicht, die genauere Nachrichten
bringen werde[55]. Hormisda verhandelte sowohl mit Kaiser Anastasios als auch mit
Vitalian, der zwei Unterhändler mit Einwilligung des Kaisers nach Rom geschickt
hatte. Die beiden Unterhändler wiederum verhandelten mit dem ostgothischen König. Theoderich veranlaßte Hormisda, den Bitten Vitalians zu folgen und die Einla-
dung des Kaisers nicht unbedingt abzulehnen. Und so sandte der Papst im August
515 eine Legation, die aus den beiden Bischöfen Ennodius und Fortunatus sowie aus
einem Diakon, einem Presbyter und einem Notar bestand[56]. Das ihnen mitgegebene
Schreiben enthielt die Nachricht, daß Hormisda nur dann bereit sei, an dem Konzil
teilzunehmen, wenn alle seit dem Tode des Akakios von Rom gestellten Forderungen erfüllt würden[57].

[50] Ebd.
[51] Ebd., S. 249.
[52] E. Schwartz, Publ. Samm., Urkunde 101. S. 169. Schreiben des Kaisers Anastasios an
      Papst Hormisda (28. Dez. 514), erhalten am 14. Mai 515; Coll. Auell. 109.
[53] Ebd., Urkunden 102 u. 103, S. 169. Schreiben des Kaisers an Papst Hormisda (12. Jan.
      515, erhalten am 28. März 515; Coll. Auell. 107 (Urk. 102); Schreiben des Bischofs von
      ThessalonichDorotheus an Papst Hormisda, erhalten am 28. März 515; Coll. Auell. 105
      (Urk. 103).
[54] Ebd., Urkunden 104 u. 105, S. 169. Antwort des Papstes Hormisda (dat. vom 5. April
      515) auf des Kaisers Schreiben vom 12. Jan. 515; Coll. Auell 108 (Urk. 104); Antwort des
      Papstes Hormisda auf das Schreiben des Bischofs von Thessalonich: Coll. Auell. 106
      (Urk. 105).
[55] Ebd., Urkunde 106, S. 169.
[56] E. Schwartz, Publ. Samm., S. 251.
[57] Ebd., Urkunde 107, S. 169. Schreiben des Hormisda an den Kaiser (11. Aug. 515); Coll
      Auell. 115.

Den Legaten selbst war aufgetragen, den Patriarchen von Konstantinopel nicht anzuerkennen und im übrigen nur diejenigen Kleriker zu empfangen, die Gemeinschaft mit Rom hielten[58]. Diese Maßnahmen, die im Hinblick auf das, was dreißig Jahre zuvor mit der römischen Delegation in Konstantinopel geschehen war, getroffen wurden, ließen wenig Hoffnung auf eine Zustimmung des Kaisers; doch glaubten Hormisda und Theoderich, daß Vitalian, den sie für den mächtigsten Mann im Ostreich hielten, als Vertreter des apostolischen Stuhles dem Kaiser seinen Willen aufzwingen werde. Die vom Kaiser unterzeichneten päpstlichen Glaubensformeln sollten von Vitalian in Empfang genommen und dem Papst überbracht werden. Vitalian aber vermochte sein Mißtrauen dem Kaiser gegenüber nicht zu überwinden; schon während der Jahre 513 und 514 hatte er es vermieden – selbst nach Abschluß der Verträge – die Hauptstadt zu betreten[59]. Und als es im Herbst 515 in Konstantinopel wieder zu Unruhen kam, fuhr er mit seiner Flotte ein, um Sykai anzugreifen. Anastasios aber hatte sich zu schützen gewußt: die isaurische Truppe von Sykai schlug den Angriff zurück, und die kaiserliche Flotte verjagte die Schiffe Vitalians. Nur sein rascher Rückzug bewahrte ihn vor einer Niederlage. – Der Kaiser setzte Vitalian als magister militum ab. Seine Machtstellung war damit erschüttert, und das Schisma zwischen Rom und Konstantinopel blieb weiterhin bestehen[60].

Bei der Synode von Herakleia waren zweihundert Bischöfe erschienen. Nun, nach dem Sturz Vitalians siedelte sie nach Konstantinopel über. Der Kaiser zeigte sich infolge der Umstände nicht bereit, über das Einigungsedikt hinauszugehen. Doch bedeutete es für die römischen Gesandten einigen Gewinn, die Beziehung zu den illyrischen Bischöfen zu festigen; auch unterzeichnete der Metropolit von Alterius mit seinen Suffraganen die päpstliche Formel. – Gegen Ende des Jahres 515 wurde das Konzil von Kaiser Anastasios aufgelöst und die römische Gesandtschaft entlassen. Über die Einigungsformel war kein Beschluß gefaßt worden, doch versprach der Kaiser den päpstlichen Legaten, Gesandte nach Rom zu schicken und gab ihnen ein Schreiben an den Papst mit[61], worin er sich im wesentlichen an das Einigungsedikt hielt. Er wies darauf hin, daß die Bestimmungen des Konzils von Chalkedon weder von seinen Vorgängern noch von ihm selbst aufgehoben worden seien und er im übrigen, wie er es schon oft getan habe, die Verfluchung des Chalkedonense und des Tom von Leo mißbillige. – Was jedoch die Streichung der Namen aus den Dyptichen anlange, so würde dies zu viel Ärgernis und Blutvergießen hervorrufen. Es belaste ihn, um Toter willen Lebendige auszustoßen. - Ein Antwortschreiben des Papstes ist

[58] E. Schwartz, Publ. Samm., Urkunde 109, S. 169. Coll. Auell. app. IIII,p. 800; Coll. Auell. 116[b].

[59] E. Schwartz, Publ. Samm., S. 253.

[60] Ebd.

[61] Ebd., Urkunde 111, S. 170. Schreiben des Kaisers an Hormisda (ohne Datierung) Coll. Auell. 125.

nicht bekannt[62]. Da die episkopalen Würdenträger nicht vermocht hatten, die Einigkeit wieder herzustellen, betrachtete Kaiser Anastasios die Verhandlungen mit Hormisda nunmehr als weltliche Angelegenheit, weshalb er Laien nach Rom sandte. Dies wiederum verstimmte den Papst, sodaß er aus seiner Antwort erkennen ließ, er werde an der Streichung des akakischen Namens aus den Dyptichen festhalten[63]. Von da an pflegte Rom die neu aufgenommene Beziehung zu Altepirus[64]. Nach dem Tode ihres Metropoliten hatten die Bischöfe von Altepirus Johannes von Euroea zum Nachfolger gewählt und den Papst um die weitere Gewährung der Gemeinschaft mit Rom gebeten. Der Papst verlangte daraufhin die Unterzeichnung einzelner Libelli, die ein Subdiakon des römischen Klerus überbrachte; auch sollten die päpstlichen Begleitschreiben an jedem Bischofssitz öffentlich verlesen werden. Dieses Verhalten mißfiel dem Metropoliten von Thessalonich, und als Johannes ihm nicht seinen Amtsantritt mitteilte, rächte er sich durch Schikanen: hielt er auch nicht zu Rom, so wollte er doch nicht auf seine ihm durch das Vikariat zustehenden Vorrechte verzichten, zumal ihm der Beistand von Konstantinopel sicher war[65]. Die Bischöfe von Altepirus beklagten sich beim Papst über die Bedrückungen ihres Metropoliten, sodaß sich der Papst entschloß, eine neue Legation nach Konstantinopel zu schicken, um die dortigen Machthaber auf den rechten Weg zu bringen[66]. Zum zweiten Mal wurde Ennodius nach Konstantinopel gesandt, dieses Mal in Begleitung von Peregrinus, um erkennen zu lassen, daß das Schisma nur dann beendet werden könne, wenn die römischen Forderungen ohne Abänderungen angenommen würden[67].- Nachdem die Legaten abgereist waren, erschien in Rom ein Diakon von Nikopolis und berichtete, daß der Metropolit Johannes aufs Neue bedrückt worden sei. Der Papst sandte sogleich neue Vorschriften den Legaten nach und forderte zugleich von Kaiser Anastasios und dem Bischof Dorotheos von Thessalonich, die Bedrückungen

---

[62] E. Schwartz, Publ. Samm., S. 253.

[63] Ebd., Urkunde 114, S. 170. Antwort des Hormisda (ohne Dat.) auf des Kaisers Schreiben, 16. Juli 516; Coll. Auell. 111 (Urk. 112). Coll. Auell. 112, vgl. p. 540, 15. 542, 10.

[64] Ebd., Urkunden 116 - 120, S. 170. (Urk. 116) Schreiben der Provinzialsynode von Altepirus an Papst Hormisda; Coll. Auell. 119; (Urk. 117) Schreiben des Joh. v. Nikopolis an Hormisda; Coll. Auell. 117; (Urk. 118) Antwort des Hormisda auf das Schreiben des Joh. v. Nikopolis; Coll. Auell. 118; (Urk. 119) Antwort des Hormisda an die Provinzialsynode v. Altepirus; Coll. Auell. 120); (Urk. 120) Schreiben des Hormisda an Joh. v. Nikopolis (16. Nov. 516); Coll. Auell. 121, 122.

[65] E. Schwartz, Publ. Samm., S. 254.

[66] Ebd., Urkunden 122 - 127, S. 170. (Urk. 122 - 127); die von Hormisda mitgegebenen Schreiben: (Urk. 122) an den Kaiser, Coll. Auell. 126; (Urk. 123) an den Patriarchen Timotheos, Coll. Auell. 128; (Urk. 124) an alle Bischöfe „in orientis partibus", Coll. Auell. 129 (Urk. 125) an die chalked. Bischöfe, Coll. Auell. 130; (Urk. 126) an d. Bischof Possessor, Coll. Auell. 131; (Urk. 127) an die chalk. Kleriker, Laien u. Mönche in Konstantinopel, Coll. Auell. 132.

[67] E. Schwartz, Publ. Samm., S. 254.

zu unterlassen[68]. Daraufhin verlor der Kaiser die Geduld und brach mit seinem Brief vom 11. Juli 517 alle Verhandlungen ab[69]. Die römischen Gesandten ließ er unter der Begleitung zweier subalterner Beamten zurückreisen, die dafür Sorge zu tragen hatten, daß beim Anlegen des Schiffes kein Land betreten wurde[70]. Im April des folgenden Jahres starb Timotheos, der Patriarch von Konstantinopel. Sein Nachfolger Johannes wurde am 17. April ordiniert[71]. In die Kirchenwirren dieses Jahres griff Kaiser Anastasios nicht mehr ein, er starb am 9. Juli 518. –

Schon am darauffolgenden Tage bestieg Justinus aus Castrum den Kaiserthron. Sein Neffe Justinian wurde zum Patricius ernannt und war von Anfang an sein Mitregent. Sie sahen, zu welcher Gefahr die chalkedonensischen Klöster in und um Konstantinopel zu werden drohten, wenn Vitalian, der ein Feind des Severus war, und der über ein persönliches Heer verfügte, ihnen zu helfen bereit war. Deshalb entschlossen sich Justinus und Justinian Vitalian in die Regierung mit aufzunehmen und hielten gemeinsam ihren Einzug in Konstantinopel[72]. Er wurde mit dem Titel Patricius zum kaiserlichen Heeresmeister ernannt.

Am 15. Juli 518 (der erste Sonntag nach der Thronbesteigung) verlangten zahlreiche chalkedonensische Mönche, daß der Patriarch von Konstantinopel vom Ambo aus eine Ansprache über den rechten Glauben halte[73]. Auch am Montag hielt er auf Wunsch der Mönche einen Gottesdienst im chalkedonensischen Sinn und übergab die von den Mönchen geäußerten Meinungen und Forderungen der synodos endymousa, die sie in fünf Anträge zusammenfaßte. Der Patriarch wurde gebeten, die Anträge an den Kaiser weiterzuleiten[74]. Es handelte sich in diesen Anträgen 1.) um die Wiederherstellung der Erinnerung an Euphemios und Makedonius, 2.) um die Zurückrufung all jener Kleriker, die um dieser beiden Patriarchen willen verbannt worden waren, 3.) um die Aufnahme der vier Konzile, Nicaea, Konstantinopel, Ephesus und Chalkedon, in die Dyptichen, 4.) um die Aufnahme des Papstes Leo in die Dyptichen und 5.) um das Anathema über Severus. Der Kaiser bestätigte die von der Synode gestellten Anträge. Epiphanios von Tyrus und Johannes von Jerusalem anerkannten die kaiserliche Bestätigung, Severus und Philoxenos wurden ins Exil geschickt. – Die Bestätigung der Anträge der Synode und des Patriarchen durch eine kaiserliche Konstitution gab die Möglichkeit, mit Rom über die Streichung des Na-

---

[68] Ebd., Urkunden 128 - 130, S. 170. Die von Hormisda nachgesandten Schreiben vom 12. April 517: (Urk. 128) an den Kaiser, Coll. Auell. 127; (Urk. 129) an Dorotheos von Thessalonich, Coll. Auell. 133; (Urk. 130) an die Legaten, Coll. Auell. 134. 135.
[69] Ebd., Urkunde 131, S. 170. Des Kaisers Anastasios Schreiben an Hormisda vom 11. Juli 517; Coll. Auell. 138.
[70] E. Schwartz, Publ. Samm., S. 255.
[71] Ebd., S. 257.
[72] Ebd., S. 259.
[73] Ebd.
[74] Ebd.

mens Akakios aus den Dyptichen zu verhandeln. – Justin zeigte dem Papst am 1. August seine Thronbesteigung an und ließ ihm mitteilen, daß zwei Gesandte folgen würden, um Verhandlungen über die Wiedervereinigung der Kirchen einzuleiten. Der Kaiser bat den Papst, Legaten nach Konstantinopel zu schicken[75].

Patriarch Johannes bekannte sich zu den vier Synoden (gemäß der kaiserlichen Konstitution) und teilte dem Papst mit, daß nunmehr sowohl Papst Leo als auch er selbst (Hormisda) in die Dyptichen aufgenommen seien. Der Papst nahm dieses Bekenntnis wohl auf, forderte jedoch die Streichung des Akakios. Bald nachdem die kaiserlichen Boten zurückgekehrt waren, brachen die päpstlichen Gesandten, – die Bischöfe Germanus und Johannes, die Diakone Felix und Dioskoros sowie der Presbyter Blandus –, nach Konstantinopel auf. Am 25. März 519 trafen sie ein und wurden ehrenvoll empfangen. Als sie der Kaiser aufforderte, den Patriarchen zu besuchen, um mit ihm zu verhandeln, beriefen sie sich auf ihre Vorschrift, eine ihnen mitgegebene Formel von jedem Bischof, der der Gemeinschaft mit Rom angehören wolle, unterschreiben zu lassen. – Es war dieselbe Formel, die Hormisda im Jahre 514 denjenigen Legaten mitgegeben hatte, die zum Konzil von Herekleia gingen. Patriarch Johannes nahm die päpstliche Formel an, und in allen Kirchen des Reiches wurden die Namen von Akakios, Fravitta, Euphemios, Makedonios und Timotheos sowie von den Kaisern Zenon und Anastasios gestrichen. Wer immer mit den römischen Gesandten kommunizieren wollte, mußte die päpstliche Formel unterschreiben[76].

Während der Verhandlungen war eine gothische Mönchsgruppe in Konstantinopel aufgetaucht, die zum ersten Mal in einem von Justinian am 19. Juni 519 nach Rom gesandten Brief genannt wird. Er berichtet darin über ihre agitative Tätigkeit und führt ihre Namen an: Achilles, Johannes, Leontios, Mauritios. Wie aus einem Schreiben des römischen Gesandten Dioskoros an den Papst vom 29. Juni 519 hervorgeht, handelte es sich um gothische Mönche, die aus der Gegend Vitalians stammten. Leontios war mit Vitalian verwandt, und die nahe Beziehung zu dem kaiserlichen Heeresmeister verlieh ihnen ein besonderes Ansehen[77]. Daß mit dem von Justinian erwähnten Johannes, dem Führer der Mönchsgruppe, Johannes Maxentios gemeint ist, darauf deutet das Schreiben des Diakons Dioskoros vom 29. Oktober 519. Erwähnt wird, daß nicht zu sagen sei, welchem Kloster Johannes zugehört habe[78]. Diese Mönche forderten die Aufnahme „der für uns gekreuzigt worden ist" mit der Hinzufügung „im Fleische" in das Credo der Reichskirche. Die sich in Konstantinopel befindenden Gesandten des Papstes hatten sich nicht befugt gefühlt, diese Formel anzuerkennen. Da jedoch der gothischen Mönchsgruppe daran lag, sie in

---

[75] Ebd., S. 260.
[76] Ebd., S. 261.
[77] L.J. Tixeront, Bd. III, S. 130 - 133.
[78] Ebd.

das Credo einzufügen, gingen sie nach Rom, um dem Papst ihr Anliegen vorzutragen. Hormisda aber lehnte sie ab[79].

Und doch sollte sich diese Formel durchsetzen, denn die Situation hatte sich zugunsten des Ostreichs gewandelt, nachdem Justin und Justinian alle Forderungen Roms erfüllt hatten. Während der Spaltung der Reichskirche banden den Papst und den ostgothischen König gemeinsame Interessen, und der Schutz des Ostgothen gab dem Papst die Möglichkeit, seine Ansprüche gegen den Kaiser und den Patriarchen zu erhöhen. Zwischen der vereinten Reichskirche aber und der arianischen ostgothischen Herrschaft mußte früher oder später Feindschaft hervorbrechen. Justinian selbst forderte unter der Mitwirkung der zweiten syrischen Provinz die Aufnahme dieser Formel in das Credo der Reichskirche[80]. Sein Einfluß auf die christologische Theologie ist von großer Bedeutung gewesen, und die von ihm anerkannten Formeln werden sich später wiederfinden bei Johannes Damaszenus[81].

[79] Ebd.
[80] E. Schwartz, Publ. Samm., S. 262.
[81] L. Glaizolle, Un empereur.

Schluß

Wir sind auf die Entstehung verschiedener Lehren des Christentums und auf die geschichtlichen Zusammenhänge von der Mitte des vierten bis zur Mitte des sechsten Jahrhunderts eingegangen, um festzustellen, worauf es zurückgeht, daß der dem dreifachen Sanctus hinzugefügte Anruf seinen ihm ursprünglich zur Last gelegten häretischen Charakter verlieren konnte. So haben wir den Unterschied zwischen dem eutychianischen und dem severianischen Monophysitismus dargelegt, wobei es sich zeigte, daß der sich in einer Reihe von Sekten widerspiegelnde eutychianische Monophysitismus häretisch ist, während der severianische Monophysitismus von der Häresie freizusprechen ist, da seine Anhänger an den Unterschied der göttlichen und der menschlichen Eigentümlichkeiten in Christus glaubten. Wir sahen, daß der scheinbar monophysitische Charakter des Severianismus seinen Grund in der uneinheitlichen Terminologie hinsichtlich der Inkarnationslehre hatte, woran freilich Severus nicht ganz schuldlos war, weil er sich weigerte, die eindeutig bestimmte Terminologie des Konzils von Chalcedon anzunehmen. Seine Lehre war infolgedessen ihrer Form nach monophysitisch, nicht jedoch ihrem Inhalt nach. Wir zeigten weiterhin die verschiedenen Arten des Theopaschitismus, der sowohl häretisch als auch nicht-häretisch zu sein vermag. Häretisch ist die Lehre vom leidenden Gott, wenn das Gesetz von der Gemeinsamkeit der göttlichen und der menschlichen Eigentümlichkeiten nicht mehr angewendet werden kann und darum nicht der Menschheit Christi das Leiden zugeschrieben wird, sondern seiner Gottheit; häretisch auch dann, wenn die Hinzufügung zum dreifachen Sanctus nicht auf das WORT Gottes allein bezogen wird, sondern auf die ganze Trinität.

Dieser Anruf vermochte seinen ursprünglich der Häresie verdächtigen Charakter zu verlieren und von den christlichen Kirchen angenommen zu werden, weil sie mit dem Hymnus den Sohn Gottes allein anriefen und sowohl sein Leiden als auch seinen Tod und seine Geburt der menschlichen Inkarnation zusprachen. Dies bezeugten uns ihre Liturgien. – Wir sahen, daß das Gesetz von der Gemeinsamkeit der Eigentümlichkeiten vor allem für jenen Monophysitismus gilt, wie ihn Apollinarius, Cyrillus und Severus lehrten, d. h. für den Monophysitismus, der Christus als eine Natur (Natur = Hypostasis) versteht, auf die sich die beiden Eigentümlichkeiten in Christus beziehen. Denn nur die Anwendung dieser Lehre gibt den Anhängern dieses Monophysitismus die Möglichkeit, sich von dem Verdacht zu befreien, Häretiker zu sein.

Die Nestorianer hingegen brauchten diese Lehre nicht, da sie von vornherein zwei Naturen anerkannten und es somit keiner Rechtfertigung der beiden – nur auf eine

Natur bezogenen – Eigentümlichkeiten bedurfte. Trotzdem hatte Nestorius sich noch bereit gezeigt, diese Lehre anzuerkennen und von ihr Gebrauch zu machen, während sie von seinen großen Vorgängern Diodor von Tarsus und Theodor von Mopsuesta abgelehnt und sogar als Irrtum erklärt worden war, da sie nicht wußten, daß Apollinarius ,physis' im Sinne von ,hypostasis' in seiner Inkarnationslehre zu brauchen pflegte. – Babai hatte ,ausnahmsweise' diese Lehre gelten lassen. Später aber, nachdem die Nestorianer nicht nur zwei Naturen, sondern auch zwei Hypostasen anerkannten, ging ihnen der Sinn für das Gesetz der Gemeinsamkeit der göttlichen und der menschlichen Eigentümlichkeiten in Christus verloren.

Die Chalcedonenser konnten diese Lehre zwar anwenden, doch bestand für sie keine Notwendigkeit, dies zu tun, da sie Christus als eine Person mit zwei Naturen, einer göttlichen und einer menschlichen, bestimmt hatten.

Literaturverzeichnis

Acta Conciliorum oecumenicorum, ed.E.Schwartz, Berolini et Lipsiae 1932.

Ahrens, K. u. Krüger, G., Die sogenannte Kirchengeschichte des Zacharias Rhetor, Leipzig 1899.

Akten der Ephesinischen Synode vom Jahre 449, Abhandlungen der Gesellschaft der Wissenschaften zu Göttingen, Phil.-hist. Kl., Göttingen 1917.

Altaner, B., Patrologie, Leben, Schriften und Lehre der Kirchenväter, Freiburg i. B. 1958.

Assemani, J.S., Bibliotheca orientalis, Rom 1719 u. 1721. 2 Bde.

Assemani, S.E. u. J.S., Bibliotheca apostolica vaticanae codium manuscriptorum catalogus, Rom 1756–1759. 3 Bde.

Athanasius, Apologia contra arianos, Patrologia Graeca, Migne, Paris 1857–1866. Bd. XXV.

Babai, Liber de Unione, Corpus scriptorum christianorum orientalium, Louvain 1953: Louvain 1977. 388 Bde.

Badger, G.P., The Nestorians and their Rituals, London 1852.

Bardenhever, O., Geschichte der altkirchlichen Literatur, Freiburg i. B., 1924; Darmstadt 1962. 5 Bde.

Bardy, G., Sous le régime de l'Hénotique: la politique réligieuse d'Anastase, in: A. Fliche et V.Martin, „Histoire de l'Eglise", Bd. 4, Paris 1939.

Baumstark, A., Geschichte der syrischen Literatur, Bonn 1922.

Beck, H.G., Das byzantinische Jahrtausend, München 1978.

Beck, H.G., Kirche und theologische Literatur im byzantinischen Reich, München 1977.

Beck, H.G., Studien zur Frühgeschichte Konstantinopels, München 1973.

Bergsträsser, E., Philoxenus von Mabbug, in: Gedenkschrift für D. Werner Elert, Berlin 1955.

Brière, M., Sancti Philoxeni episcopi Mabbugensis dissertationes decem de uno e sancta Trinitate incorporato et passo, Diss. I et II, éd. M. Brière, Patrologia Orientalis, Bd. 15 (1927), Paris.

Brooks, E.W., The Emperor Zenon and the Isaurians, "English Historical Review" VIII, 1893.

Brooks, E.W., The Hymns of Severus and Others in the Syriac Version of Paul of Edessa, as Revised by James of Edessa, Patrologia Orientalis, Bd. 6 (1911), Bd. 7 (1911), Paris.

Budge, E.A.W., Anecdota Oxoniensa, semitic series, Oxford 1886.

Budge, E.A.W., Discurses of Philoxenus, bishop of Mabbôgh, London 1894.

Butler, H.C., Early Churches in Syria, ed. by E.B. Smith, Princeton, N.J., 1929.

Chabot, I.B., L'école de Nisibe, son histoire; ses statuts, „Journal asiatique". 9ᵉ sér., ed. 7 (1896).

Chabot, I.B., Littérature syriaque, Paris 1934.

Charanis, P., Church and State in the Later Roman Empire; the religious policy of Anastasius the First, 491–518. Madison, Wisc., 1939.

Codex Justinianus, in: Corpus iuris civilis, Bd. II, ed. P. Krueger, Berlin 1929.

Collectio Auellana, Corpus Scriptorum Ecclesiasticorum Latinorum, ed. O. Günther, Wien 1895 u. 1898.

Collectio Berolinensis, Publizistische Sammlungen zum acacischen Schisma, ed. E. Schwartz, München 1934.

Collectio Veronensis, Publizistische Sammlungen zum acacischen Schisma, ed. E. Schwartz, München 1934.

Crowfoot, J.W., Early Churches in Palestine, London 1941.

Dempf, A., Religionssoziologie der Christenheit, München Wien 1972.

Denzinger, H., Ritus orientalium, coptorum, syrorum et armenorum, ed. H. Denzinger, 2 Bd., Würzburg 1863–1864.

Devreesse, R., Essai sur Théodore de Mopsuesta, Studi e Testi, Vatican 1948.

Devreesse, R., Le patriarcat d'Antioche depuis la paix de l'Eglise jusqu'à la conquête arabe, Etudes palestiniennes et orientales, Paris 1945.

Diekamp, F., Die originistischen Streitigkeiten im sechsten Jahrhundert und das fünfte allgemeine Concil, Münster 1899.

Domini Johannis philosophii ozniensis, Opera, Venedig 1834.

Downey G., Ancient Antioch, Princeton University Press, 1963.

Downey, G., The Persian Campaign in Syria in A.D. 540, „Speculum" XXVIII, 1953.

Draeseke, M., Apollinarius von Laodicea, Leipzig 1892.

Draguet, R., Julien d'Halicarnasse et sa controverse avec Sévère d'Antioche sur l'incorruptibilité du corps du Christ, Louvain 1924.

Duchesne, L., Eglises séparées, Paris 1905.

Duchesne, L., L'Eglise du sixième siècle, Paris 1925.

Duchesne, L., Histoire ancienne de l'Eglise, Paris 1910.

Dufourcq, A., Histoire ancienne de l'Eglise, Paris 1910.

Ebed-Jesus, Buch der Perle über die Wahrheit des Glaubens, Scriptorum veterum nova collectio, Rom M.DCCC.XXXVIII.

Facundus von Hermiane, Pro defensione trium capitulorum, 1. VIII, c.v; XII, c.v., Patrologia Latina, J.P. Migne, Paris 1879. Bd. LXVII, 723, 849.

Glaizolle, L., Un empereur théologien, Lyon 1905.

Goossens, G., Hiérapolis de Syrie, Louvain 1943.

Goussen, H., Martyrius-Sahdonas Leben und Werk, Leipzig 1897.

Graffin, F., La lettre de Philoxène de Mabboug à un supérieur de monastère sur la vie monastique, „L'Orient syrien", Bd. 6 (1961), S. 317–352; S. 455–486. Bd. 7 (1962) S. 77–102.

Grillmeier, A., Das Konzil von Chalkedon, Würzburg 1973.

Grumel, V., Un théologien nestoríen, Babai le Grand, „Echos d'Orient", Paris 1923, Bd. XXII; Paris 1924, Bd. XXIII.

Günther, U., Beiträge zur Chronologie der Briefe des Papstes Hormisda, Sitzungsberichte der Akademie der Wissenschaften, Wien, CXXCI, Abh. XI (1891).

Hahn, E., Bibliothek der Symbole und Glaubensregeln, Breslau 1897.

Halleux, A. de, Lettre aux moines orthodoxes d'Orient, „Le Muséon" Bd. 76, 1963.

Halleux, A. de, Lettre dogmatique aux moines de Palestine, Nouveaux textes, inédits de Philoxène de Mabboug, „Le Muséon" Bd. 76, 1963.

Halleux, A. de, Philoxène de Mabboug, Louvain 1963.

Hallier, L., Untersuchungen über die edessenische Chronik mit dem syrischen Text und einer Übersetzung, in: Texte und Untersuchungen zur Geschichte der altchristlichen Literatur, IX, Heft I, Leipzig 1893.

Hammilton, F. J. u. Brooks, R. W., The Syriac Chronicle as that of Zachariah of Mitylene, London 1899.

Harnack, A. v., Lehrbuch der Dogmengeschichte, Tübingen 1931–1932.

Hausherr, I., Contemplation et sainteté. Une remarquable mise au point par Philoxène de Mabboug († 523), in: Revue d'ascétique et de mystique, Bd. 14 (1933), S. 171–195.

Hausherr, I., Spiritualité syrienne. Philoxène de Mabboug en version francaise, in: Orientalia christiana periodica, Bd. 23 (1957), S. 171–185.

Héfélé, C. J. / Leclercq, H., Histoire des conciles d'après les documents originaux, 11 Bd., Paris 1907–1952.

Hergenröther, F., Photius, Patriarch von Constantinopel, 3 Bde., Regensburg 1867.

Hermann, Th., Die Schule von Nisibis vom fünften bis zum siebenten Jahrhundert, „Zeitschrift für neutestamentliche Wissenschaft", Bd. 25, Jahrg. 1926.

Honigmann, E., Evêques et évêches monophysites d'Asie antérieure au sixième siècle, Louvain 1954.

Hormisdas Papa, Epistolae et decreta, Patrologia Latina, LXIII, 363–532. J. P. Migne, Paris 1879.

Horst, L., Des Metropoliten Elias von Nisibis Buch des Beweises der Wahrheit des Glaubens, Kolmar 1886.

Inglisian, V., Chalkedon und die armenische Kirche, „Chalkedon". Bd. 2, S. 361–417.

Jugie, M., La contorverse nestorienne, Paris 1912.

Kugener, M. A., Vie de Sévère par Jean, Patrologia orientalis, Paris 1905.

Lebon, J., Le monophysitisme sévérien, Louvain 1909.

Lemoine, E., Physionomie d'un moine syrien: Philoxène de Mabboug, „L'Orient syrien", Bd. 3 (1958), S. 91–102.

Le Quien, M., Dissertationes Damascenicae, Patrologia Graeca, XCIV, 193–430, J.P. Migne, Paris 1865.

Liberatus, Brevarium causae Nestorianorum et Eutychianorum, Migne, Patrologia Latina, Bd. 68, Paris 1847.

Lietzmann, H., Apollinarius von Laodicea, Tübingen 1904.

Loofs, F., Nestoriana, Halle 1905.

Malalas, J., Chronicle, Chicago 1940.

Malalas, J., Exerpta de insidiis, ed. L. Dindorf, Bonn 1831.

Manojlovič, G., Le peuple de Constantinople, „Byzantion" Bd. VI, 1936; Bd. XI, 1936.

Mansi, J.D., Collectio conciliorum, sacrorum conciliorum nova et amplissima collectio, Florenz 1759–1773; Graz 1962. 36 Bde.

Martin, F., Homélie de Narses sur les trois docteurs nestoriens, „Journal asiatique", Serie IX, Bd. XIV, 1899.

Martin, F., Lettres de Jacques de Saroug aux moines de couvent Mar Bassus et a Paul d'Edesse, „Zeitschrift der deutschen morgenländischen Gesellschaft", Bd. 30, 1876.

Migne, J.P., Patrologia Graeca, Paris 1857–1866. 161 Bde.

Migne, J.P., Patrologia Latina, Paris 1879. 221 Bde.

Miller, E., Fragments inédits de Théodore le Lecteur et de Jean d'Egée. „Revue archeologique", Bd. 26, 1873.

Mingana, A., Narsai doctoris Syri homiliae et carmina prima edita, t. 1, Mossoul 1905.

Mingana, A., New Documents on Philoxenus of Hierapolis, and on the Philoxenian Version of the Bible, "The Expositor", 9ᵉ ser., t. 19 (1920).

Nau, F., Le livre d'Héraclide, Paris 1910.

Nau, F., Littérature canonique syriaque inédite, I, „Revue de l'Orient chrétien", Bd. VIII, Jahrg. 1903.

Nau, F., Notice inédite sur Philoxène, evêque de Mabboug, „Revue de l'Orient chrétien", Bd. VIII, S. 630–633. 1903.

P.G. = Patrologia Graeca, s. Migne.

P.L. = Patrologia Latina, s. Migne.

Patrologia Orientalis, ed. R. Graffin u. F. Nau, Paris ab 1907.

Pentrice, W.K., „Fragments of an Early Christian Liturgy in Syrian Inscriptions", Transactions of the American Philological Association Welles, XXXIII, 1902.

Philoxène de Mabboug, De inhumatione Unigeniti, éd. Vaschalde, A. in: Corp. script. christ. orient., no 9 (107), Paris 1907.

Philoxène de Mabboug, Lettre aux moines de Senun (extraits), Assemani, J.S., Bibliotheca Orientalis, II, S. 12, 14 ss, 38–45, Rom 1721.

Pirot, L., L'oeuvre exégétique de Théodore de Mopsueste, Rom 1913.

Rehrmann, A., Die Christologie des hl. Cyrillus von Alexandrien systematisch dargestellt, Hildesheim 1902.

Renaudot, E., Liturgiarum orientalium collectio, Frankfurt a. M. 1847. 2 Bde.

Rozemond, C., La christologie de saint Jean Damascène (Studia Patristica et Byzantina, 8), Ettal 1959.

Rubens-Duval, I., La littérature syriaque, Paris 1907.

Schwartz, E., Codex Vaticanus gr. 1431, eine antichalkedonische Sammlung aus der Zeit Kaiser Zenons, Abhandl. der Bayerischen Akademie der Wissenschaften, philos.-philol.-hist. Klasse, XXXII, 6. Abhandl., München 1925.

Schwartz, E., Neue Aktenstücke zum ephesinischen Konzil von 431, München 1920.

Schwartz, E., Publizistische Sammlungen zum acacischen Schisma, Abhandl. der bayerischen Akademie für Wissenschaften, München 1934.

Severus of Antioch, A Collection of Letters of Severus of Antioch from Noumerous Syriac Manuscripts, translated from the Syriac by E.W. Brooks, Patrologia Orientalis, Bd. 12, 14, Paris 1919–1920.

Sévère d'Antioche, Les Homilieae Cathédrales. Traduction syriaque de Jacques d'Edesse, hom. 104–112 et 119–125, éd. M. Brière, Patrologia Orientalis, Bd. 25 (1943), S. 619–815; Bd. 29 (1960), S. 1–262, Paris.

Severus, Documenta ad origines monophysitarum illustrandas, ed. I.B. Chabot, Paris 1908.

Severi Antiocheni, Liber contra impium Grammaticum, orationis III pars II, III, I, éd. J. Lebon, CSCO, Nr. 93 (94), 101 (102), 111 (112), Paris-Louvain 1929–1938.

Synodicon orientale, Ed. J.B. Chabot, Paris 1902.

Ter Minassiante, E., Die armenische Kirche in ihren Beziehungen zu den syrischen Kirchen bis zum Ende des 13. Jahrhunderts, in: Texte und Untersuchungen zur Geschichte der altchristlichen Literatur, 26, 4, Leipzig 1904.

Theodoret, Historia religiosa, Patrologia Graeca, LXXXVI-LXXXIX; Haereticum fabularum compendium, IV, 13, Patrologia Graeca, LXXXIII, J.P. Migne, Paris 1865.

Theodorus Lector, Historia ecclesiastica, Patrologia Graeca, Migne, P.J., Paris 1865.

Theophanus,Theophanis chronographia, ed. C. de Boor, Leipzig 1883. II Bde.

Tillemont, L.S., Mémoires pour servir à l'histoire ecclésiastique, Paris 1712. XVI Bde.

Tixeront, L.J., Histoires des dogmes, Paris 1912. III Bde.

Tournebize, Fr., Histoire politique et réligieuse de l'Arménie, Paris 1900.

Tschalenko (Čalenko), G., Villages antiques de la Syrie du Nord, Paris 1953-1958.

Van Roey, A., Les débuts de l'Eglise jacobite, „Chalkedon", Bd. 2, S. 339-360.

Vaschalde, A., Philoxeni Mabbugensis tractatus tres de Trinitate et incarnatione, ed. A. Vaschalde, Corpus script. christ. orient., 9 (10) = Syr. II, 27, Paris 1907.

Vaschalde, A., Three Letters of Philoxenus, Rom 1902.

Vasiliev, A.A., Justin the First, Cambridge, Mass., 1950.

Voisin, G., L'apollinarisme, Louvain 1901.

Wright, W., A short History of Syriac Literature, London 1894.

Woodward, E.L., Christianity and Nationalism in the later Empire, London 1916.

Zacharias von Mitylene, Chronographia, London 1899.

Zacharias Rhetor, Historia ecclesiastica Zachariae Rhetori vulga adscripta; Corpus scriptorum christianorum orientalium, Louvain 1953; Louvain 1977. 388 Bde.

Personenregister

Sachregister